《黄帝内經》版本通鑒 第一輯

朝鮮小字整板本《素問》（上）

主　編◎錢超塵
副主編◎王育林　劉　陽

北京科学技术出版社

圖書在版編目（CIP）數據

朝鮮小字整板本《素問》：全二册 / 錢超塵主編
. —北京：北京科學技術出版社, 2022.1
（《黄帝内經》版本通鑒；第二輯）
ISBN 978－7－5714－1830－4

Ⅰ.①朝… Ⅱ.①錢… Ⅲ.①《素問》 Ⅳ.
①R221.1

中國版本圖書館 CIP 數據核字（2021）第194662號

策劃編輯： 侍　偉　吴　丹
責任編輯： 吴　丹
責任校對： 賈　榮
責任印製： 李　茗
出 版 人： 曾慶宇
出版發行： 北京科學技術出版社
社　　址： 北京西直門南大街16號
郵政編碼： 100035
電話傳真： 0086-10-66135495（總編室）　0086-10-66113227（發行部）
網　　址： www.bkydw.cn
印　　刷： 北京七彩京通數碼快印有限公司
開　　本： 787 mm × 1092 mm　1/16
字　　數： 589千字
印　　張： 49.25
版　　次： 2022年1月第1版
印　　次： 2022年1月第1次印刷

ISBN 978－7－5714－1830－4

定　　價：1190.00元（全二册）

明趙府居敬堂本。十二卷，遺篇一卷。以古林書堂本爲底本。品相極佳，訛字較多。明清之際傅山批注趙府居敬堂本，今存於中國國家圖書館、北京大學圖書館，極爲珍秘。存

→ 明熊宗立本以趙府本爲底本刊行。存

→ 明萬曆十二年甲申（一五八四）周曰校據熊宗立本刊行。存

→ 日本饕城公觀《素問考》、丹波元簡《素問識》據明周曰校甲申本手抄校勘，有鈔本流傳

明代其他版本

（1）明吴悌本。白文。今存。
（2）明潘之恒本。今存。
（3）明吴勉學本。今存。
（4）明醫家除關注《素問》版本外，又進行注釋，如馬蒔《黄帝内經素問注證發微》九卷、吴崑《素問注》二十四卷、張介賓《類經》三十二卷、李中梓《内經知要》二卷

清代《黄帝内經》之學

注釋舉要。如汪昂《素問靈樞類纂約注》三卷，張志聰《素問集注》九卷，高世栻《素問直解》九卷等。考據著作呈現長川之態。考據約分三類。

（1）古音學考證。如顧炎武《音學五書》、朱駿聲《説文通訓定聲》、王念孫《古韵譜》、江有誥《音學十書》等，對《素問》古音詳加研究。
（2）校勘訓詁研究。如顧尚之《素問校勘記》《靈樞校勘記》、胡澍《黄帝内經素問校義》、沈彤《釋骨》、孫詒讓《札迻》、俞樾《讀書餘録》、田晋藩《内經素問校證》、于鬯《香草續校書》等。
（3）薛福辰《素問難字字典》

中華人民共和國《黄帝内經》研究成就

二十世紀八十年代，政府聘請專家校注《素問》《靈樞》，使《黄帝内經》作爲中等及高等中醫藥院校必修教材。此期間，《黄帝内經》校注著作層出叠見。

（1）沈祖綿《素問臆斷》《素問瑣語》值得重視。
（2）《黄帝内經》音韵訓詁研究著作不斷呈現。如劉衡如《靈樞經校注》，以上古音韵學校勘近百訛字，此書二〇一三年六月已由人民衛生出版社再版。
（3）郭靄春主編的《黄帝内經素問校注語譯》爲近世校注《素問》翹楚之作。
（4）錢超塵《内經語言研究》《中醫古籍訓詁研究》《黄帝内經太素研究》《内經古音研究》等都是研究《黄帝内經》文字音韵訓詁的著作。
（5）錢超塵、温長路合編的《黄帝内經研究集成》收集近百年《黄帝内經》研究論文，資料豐富。
（6）《黄帝内經》版本開始受到學者重視。日本《黄帝内經版本叢刊》影印十餘種重要版本，對國人頗有啓示。
（7）從臨床角度研究《黄帝内經》的論文與專著取得重要成績。
（8）二十世紀五十年代，人民衛生出版社出版的影印《素問》《靈樞》及稍後出版的《素問》梅花本（劉衡如整理）、劉衡如《靈樞經校注》，在普及《黄帝内經》方面做出了重大貢獻。
（9）北京中醫藥大學王洪圖教授主編的《黄帝内經研究大成》收集參編者之理論、文獻、臨床研究成果，展現當今研究之新進展。
（10）錢超塵、錢會南合著《金刻本〈黄帝内經素問〉校注考證》，首次對金刻本的校注進行考證

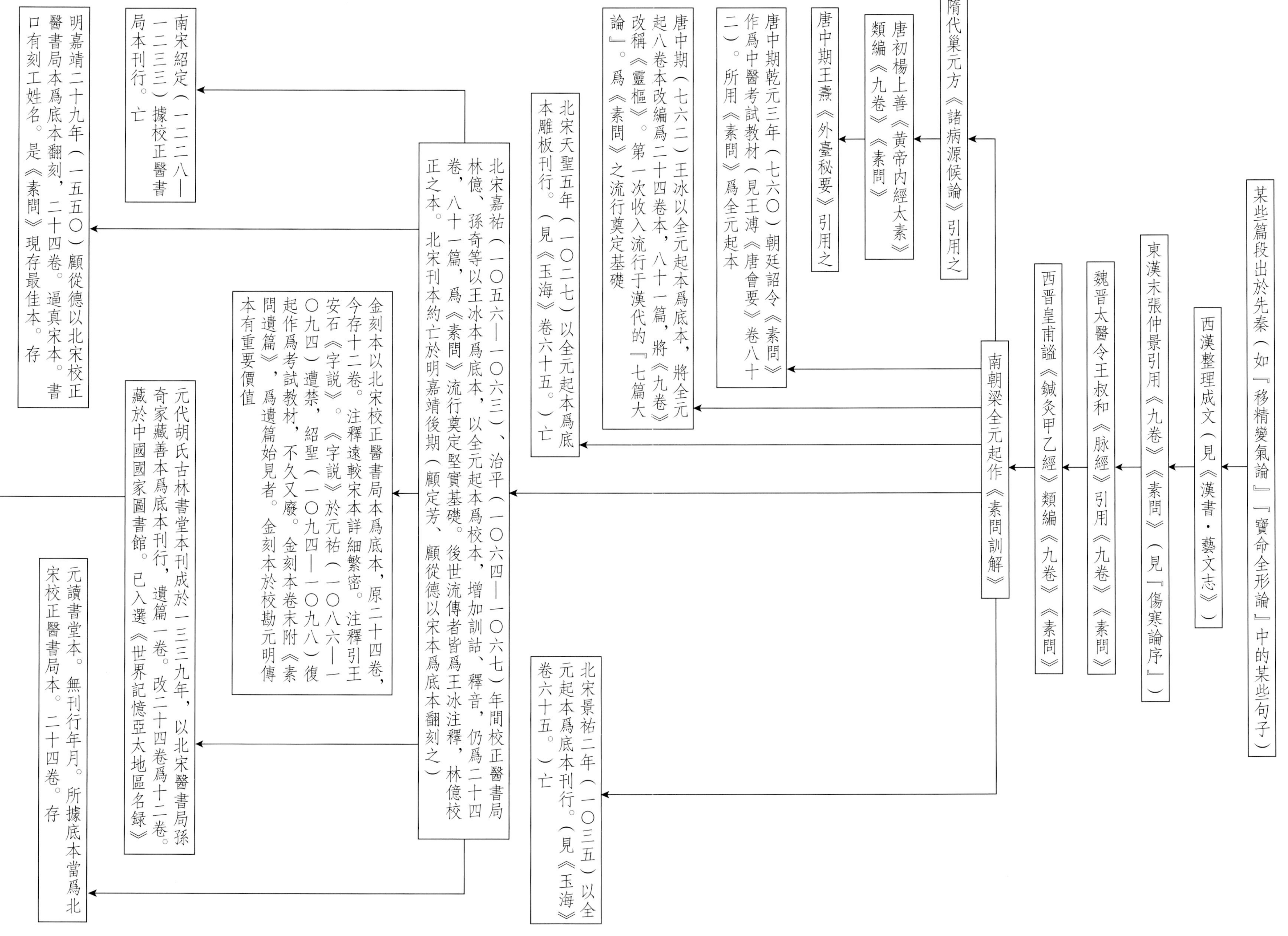
《黄帝内經》版本流傳圖
某些篇段出於先秦（如『移精變氣論』『寳命全形論』中的某些句子）
西漢整理成文（見《漢書·藝文志》）
東漢末張仲景引用《九卷》《素問》（見『傷寒論序』）
魏晋太醫令王叔和《脉經》引用《九卷》《素問》
西晋皇甫謐《鍼灸甲乙經》類編《九卷》《素問》
南朝梁全元起作《素問訓解》
隋代巢元方《諸病源候論》引用之
唐初楊上善《黄帝内經太素》類編《九卷》《素問》
唐中期王燾《外臺秘要》引用之
唐中期乾元三年（七六〇）朝廷詔令《素問》作爲中醫考試教材（見王溥《唐會要》卷八十二）。所用《素問》爲全元起本
唐中期（七六二）王冰以全元起本爲底本，將全元起八卷本改編爲二十四卷本，八十一篇，將《九卷》改稱《靈樞》。第一次收入流行于漢代的『七篇大論』。爲《素問》之流行奠定基礎
北宋天聖五年（一〇二七）以全元起本爲底本雕板刊行。（見《玉海》卷六十五。）亡
北宋嘉祐（一〇五六—一〇六三）、治平（一〇六四—一〇六七）年間校正醫書局林億、孫奇等以王冰本爲底本，以全元起本爲校本，增加訓詁、釋音，仍爲二十四卷，八十一篇，爲《素問》流行奠定堅實基礎。後世流傳者皆爲王冰注釋，林億校正之本。北宋刊本約亡於明嘉靖後期（顧定芳、顧從德以宋本爲底本翻刻之）
北宋景祐二年（一〇三五）以全元起本爲底本刊行。（見《玉海》卷六十五。）亡
南宋紹定（一二二八—一二三三）據校正醫書局本刊行。亡
明嘉靖二十九年（一五五〇）顧從德以北宋校正醫書局本爲底本翻刻，二十四卷。逼真宋本。書口有刻工姓名。是《素問》現存最佳本。存
金刻本以北宋校正醫書局本爲底本，原二十四卷，今存十二卷。注釋遠較宋本詳細繁密。注釋引王安石《字説》。《字説》於元祐（一〇八六—一〇九四）遭禁，紹聖（一〇九四—一〇九八）復起作爲考試教材，不久又廢。金刻本卷末附《素問遺篇》，爲遺篇始見者。金刻本於校勘元明傳本有重要價值
元代胡氏古林書堂本刊成於一三三九年，以北宋醫書局孫奇家藏善本爲底本刊行，遺篇一卷。改二十四卷爲十二卷。藏於中國國家圖書館。已入選《世界記憶亞太地區名録》
元讀書堂本。無刊行年月。所據底本當爲北宋校正醫書局本。二十四卷。存

#《〈黄帝内經〉版本通鑒·第二輯》編纂委員會

主　編　錢超塵

副主編　王育林　劉　陽

前言

中醫學是超越時代、跨越國度、具有永恒魅力的中華民族文化瑰寶，是富有當代價值、維護人體健康的生命科學，它將伴隨中華民族而永生。中醫學核心經典《黄帝内經》（包括《素問》和《靈樞》），奠定了中醫理論基礎，指導作用歷久彌新，是臨床家登堂入室的津梁，是理論家取之不盡的寶藏，是研究中國傳統文化必讀之書。

讀書貴得善本。章太炎先生鍼對中醫讀書不注重善本的問題，指出『近世治經籍者，皆以得真本爲亟，獨醫家爲藝事，學者往往不尋古始』，認爲這是不好的讀書習慣。他又説：『信乎，稽古之士，宜得善本而讀之也！』閲讀《黄帝内經》，必須對它的成書源流、歷史沿革、當代版本存佚狀況有明確的認識，纔能選擇佳善版本，獲取真知。

《黄帝内經》某些篇段成於战國時期，至西漢整理成文，《漢書·藝文志》載有『《黄帝内經》十八卷』。西晋皇甫謐《鍼灸甲乙經》類編其書，序云：『《黄帝内經》十八卷，今《鍼經》九卷，《素問》九卷，即《内經》也。』這説明《黄帝内經》一直分爲兩種相對獨立的書籍流傳，一種名《素問》，一種名《鍼經》。《鍼經》即《靈樞》的初名，在流傳過程中也稱《九卷》《九靈》《九墟》，東漢末期張仲景、魏太醫令王叔和均引用過《九卷》之名。

《素問》的版本傳承相對明晰。南朝梁全元起作《素問訓解》存亡繼絶，唐初楊上善類編《黄帝内經太素》取之。唐乾元三年（七六〇）朝廷詔令將《素問》作爲中醫考試教材。唐中期王冰以全元起本爲底本作注，收入『七篇大論』，改爲二十四卷八十一篇，爲《素問》的流行奠定了基礎。北宋天聖五年（一〇二七）、景祐二年（一〇三五），以全元起本爲底本的《素問》兩次雕版刊行。北宋嘉祐年間（一〇五六至一〇六三）校正醫書局林億、孫奇等以王冰注本爲底本，增校勘、訓詁、釋音，仍以二十四卷八十一篇刊行。此後《素問》單行本均以北宋嘉祐本爲原本，歷南宋（金）、元、明、清至今，形成多個版本系統。二十四卷本，以金刻本（存十三卷）、元讀書堂本、明顧從德覆宋本、明無名氏覆宋本、明周曰校本、明『醫統』本爲代表；十二卷本，以元古林書堂本、明熊宗立本、明趙府居敬堂本、明吴悌本爲代表；五十卷本，即『道藏』本；此外還有明清注家九卷本、日本刻九卷本等。南宋、北宋及更早之本俱已不存。

《靈樞》在魏晋以後至北宋初期的傳承情况，因史料有缺而相對隱晦。唐初楊上善類編《黄帝内經太素》收入《九卷》。唐中期王冰注《素問》引文，始有『靈樞經』之稱。因存本不全，北宋校正醫書局未校《靈樞》。遲至元祐七年（一〇九二），高麗進獻《黄帝鍼經》，始獲全帙，元祐八年（一〇九三）正月北宋政府頒行之。此後《靈樞》再次沉寂，至南宋紹興乙亥（一一五五），史崧刊出家藏《靈樞》，將原本九卷校正並增修音釋，勒成二十四卷。此本成爲此後所有傳本的祖本，流傳至今已形成多個版本系統。其中二十四卷本，以明無名氏仿宋本、明周曰校本爲代表；十二卷本，以元古林書堂本、明熊宗立本、明趙府居敬堂本、明田經本、明吴悌本、明吴勉學本爲代表；此外還有二十三卷本（即『道藏』本）、明詹林所二卷本、『道藏』收録的《靈樞略》一卷本、日本刻九卷本等。

除《素問》《靈樞》各有單行本之外，《黄帝内經》尚有類編本。西晋皇甫謐《鍼灸甲乙經》，將《素問》《九卷》《明堂孔穴鍼灸治要》三書類編，但編輯時『删其浮辭，除其重複』，故與《素問》《靈樞》對勘，《鍼灸甲乙經》文句每不全足。唐代楊上善《黄帝内經太素》三十卷，將《九卷》《素問》全文收入，不加删掇，詳加注釋。《黄帝内經太素》文獻價值巨大，但在南宋之後却沉寂無聞，直到清光緒中葉，學者楊守敬在日本發現仁和寺存有仁和三年（八八七，相當於唐光啓三年）舊鈔卷子本，存二十三卷，遂影寫携歸，一時轟動醫林。嗣後日本國内相繼再發現佚文二卷有奇，至此《黄帝内經太素》現存二十五卷，堪稱《黄帝内經》版本史上的奇迹。

綜觀《黄帝内經》版本歷史，可謂一縷不絶，沉浮聚散；視其存亡現狀，又可謂同源異派，星分飄零。現存《黄帝内經》善本分散保存在國内外諸多藏書機構，此前囿於信息交流、印刷技術，從未有大規模集中最優秀版本出版的先例。當今電子信息技術發展日新月異，互聯網的普及使信息交流具有前所未有的廣泛性、時效性，乘此東風，《黄帝内經》現存的諸多優秀版本得以鳩聚刊印，爲中醫從業者及愛好者和傳統文化學者集中學習、研究提供便利。『《黄帝内經》版本通鑒』叢書，首次對《黄帝内經》精善本進行大規模集中解題、影印，目的是保存經典、傳承文明、繼往開來，爲振興中醫奠基，爲中華文化復興增添一份力量。

繼二〇一九年『《黄帝内經》版本通鑒·第一輯』出版十二種優秀版本之後，『《黄帝内經》版本通鑒·第二輯』再次精選十三種經典版本，包括《素問》六種、《靈樞》六種、《太素》一種，列録如下。

（1）蕭延平校刻蘭陵堂本《太素》。

（2）元讀書堂本《素問》。

（3）明熊宗立本《靈樞》。

（4）朝鮮小字整板本《素問》。

（5）明吴悌本《靈樞》。

（6）楊守敬題記覆宋本《素問》。

（7）朝鮮銅活字（乙亥字）本《靈樞》。

（8）明趙府居敬堂本《靈樞》。

（9）明『醫統』本《素問》。

（10）明『醫統』本《靈樞》。

（11）明詹林所本《素問》。

（12）明詹林所本《靈樞》。

（13）明潘之恒《黄海》本《素問》。

這十三種經典版本的特點如下。

（1）蕭延平校刻蘭陵堂本《太素》，校印俱精，爲《太素》刊本中之精品。

（2）元讀書堂本《素問》，爲今僅存的宋元刊本三種之一，巾箱本，分二十四卷，與顧從德覆宋本一致，但附有《亡篇》，各篇文字内容、音釋拆附情況又與元古林書堂本高度近似。此本校刻精善，爲現存《素問》之佳槧，足以與元古林書堂本、顧從德本並美；若單論文字訛誤之少，猶過二本。

（3）朝鮮小字整板本《素問》，爲現存朝鮮本之較早者，其底本爲元古林書堂本。品相顯拙，但勝在校勘精審，仍具有較高的版本價值。

（4）楊守敬題記覆宋本《素問》、明潘之恒《黄海》本《素問》，均承自宋本，作二十四卷。前者當是以顧從德覆宋本改版（删去刻工）者，後者是以宋本校勘重刻者，品相良佳。

（5）本輯收入明代兩種《素問》《靈樞》合刻本，分别是吴勉學校刻『古今醫統正脉全書』本（簡稱『醫統』本）、閩書林詹林所本（簡稱詹本），二者各有特色。『醫統』本《素問》以顧從德本爲底本仿刻，《靈樞》以吴悌本爲底本重刻，校刻皆良。詹本《素問》以熊宗立本爲底本，删去宋臣注重刻；《靈樞》亦以熊宗立本爲底本，合併爲兩卷重刻。詹本品相不甚佳，訛舛不少，因刊刻年代尚早，今存完帙，在探索《黄帝内經》版本源流方面，仍具一定價值。

（6）本輯收入的《靈樞》均爲明代版本，屬古林書堂十二卷本系統，各具特色。其中，熊宗立本上承古林書堂本（仿刻，熊宗立句讀），下爲本輯明代諸本之祖。吴悌本（校審精，品相佳）、趙府居敬堂本(品相佳,後世通行)、詹林所本(合併爲二卷)皆直承熊宗立本;『醫統』本承吳悌本;朝鮮銅活字(乙亥字)本(朝鮮銅活字官刻,校審精,品相佳)承田經本(即山東布政使司本),田經本承熊宗立本。

『《黄帝内經》版本通鑒』卷帙浩大,爲出版這套叢書,北京科學技術出版社領導及各位編輯同仁以極高的使命感和責任心,付出了極大的心血和努力,剋服了諸多困難,終成其功,謹此致以崇高敬意。相信這套叢書必不辜負同仁之望,可在促進中醫藥事業發展、深化祖國傳統文化研究、增强國家文化軟實力等諸多方面做出應有的貢獻。

囿於執筆者眼界、學識,諸篇解題必有疏漏及訛誤之處,請方家、讀者不吝指正。

錢超塵

[説明:爲更準確地體現版本、訓詁學研究的學術内涵,撰寫時保留了部分異體字,所選擇字樣如下:欬(欬嗽)、並(並且)、併(合併)、嶽(山嶽)、鍼、於、異。]

目　録

《黄帝内經》版本通鑒·第二輯

朝鮮小字整板本《素問》（上）

解題 劉陽

解　題

朝鮮自古與中國關係密切，其醫學也深受中醫學影響。在古代，朝鮮官方和民間都有積極訪求、收藏漢籍的傳統，這也爲古典醫籍的保存、傳世做出了重大貢獻，其代表性事件便是北宋時高麗進獻《黄帝鍼經》，從而使在我國失傳已久的《靈樞》重見於世。在印刷史上，李氏朝鮮（一三九二至一八九七）也有着光輝的歷史，最先大量鑄造金屬活字印書，真正使活字印刷術發揚光大。從李太宗三年（一四〇三，明永樂元年）第一次大規模鑄造『癸未字』開始，李氏朝鮮政府歷次主持金屬（銅爲主）活字鑄造達20次，極大促進了朝鮮的文明進程。在朝鮮，銅活字印刷由專門的校書館負責，印書紙墨俱佳，版式大方，字體優美，更由於其勘校嚴格，錯誤極少，故以質量極高著稱於世。

十五世紀初至十六世紀末，是李氏朝鮮銅活字印刷的活躍期兼高峰期。当時朝鮮所刊醫籍亦多，《黄帝内經》也印過數次，包括《素問》三次（甲寅字，乙亥字，甲辰字），《靈樞》一次（乙亥字），都集中在萬曆朝鮮戰爭（一五九二年日本豐臣秀吉入侵朝鮮）之前。與此同時，雕版印刷與木活字印刷也很興盛。日本静嘉堂文庫藏有一部朝鮮刊『小字整板本』《素問》，其便是非銅活字的印品，刊出時期可能與熊宗立本（一四七四）相當，屬於現存較早的版本。

此本在古朝鮮資料中缺載，現有的著録材料都出自近代藏館及研究者。《静嘉堂文庫圖書分類目録》載：『新刊補注釋文黄帝内經素問，二四卷。唐王冰注。宋林億等校。朝鮮刊。六册。』按，此作『二四卷』有誤。三木榮《訂補朝鮮醫學史及疾病史》載此本作『静嘉堂文庫：《補注釋文黄帝内經素問》十二卷六册，成宗版的《鄉藥集成方》刻式相似，整板（原篠島氏藏）』。又三木榮《朝鮮醫書志》録有此本書影（卷六第一葉上半葉），記作『補注釋文黄帝内經素問，整板（元版覆刻），李朝初期刊本，24×15 cm（私藏）』。又崔秀漢《朝鮮醫籍通考》引三木榮《朝鮮醫籍考》云：『補注釋文黄帝内經素問，12卷，6册（静嘉堂文庫藏）。無刊記。木活字印本。上下右緣截斷改裝，每半葉匡郭縱24 cm弱，横15 cm，12行，行21字。紙數：序5，總目4，本文385枚。每册首有「藤原朝臣」「篠島氏家藏記」等印記。』根據以上著録信息，學者對於其究竟是雕板還是木活字本仍存在不一致的看法。另外，其刊印時間也未明，三木榮據其版式與成宗時（一四七〇至一四九四）刊《鄉藥集成方》相似而有所推測，但這一『小字整板』的《鄉藥集成方》本身刊印時間尚不能十分確定，三木榮稱『萬曆前小字整板，所謂成宗版』，若以萬曆元年（一五七三）爲下限，則幾乎距上限達一百年了。

此版《素問》是以元古林書堂本爲底本重新排印的，十二卷，仍題名『新刊補注釋文黄帝内經素問』，目録及某些卷次無『新刊』二字。四周單邊，半葉十二行，行二十一字，注文雙行小字同，黑口，對黑魚尾，上魚尾下刻『内經』二字帶卷序（序内作『内經序』；總目内作『内經目録』；卷一内作『内經一』），下魚尾上刻葉數，每卷另起。

原古林書堂本目録牌記『是書乃醫家至切至要之文……衛生君子幸垂藻鑒』，此本撤去邊框，原文照録，以雙行小字印出。原古林書堂本目録末尾牌記『元本二十四卷今併爲一十二卷刊行』，亦以大字存之。

此本字體較拙，印刷也不甚精良。因字小，筆畫較多之字常模糊不清，注文尤其如此，但並不能就論此本是粗製濫造之物。回到文字内容本身，對照元古林書堂本可以看出，此本對底本文字原貌相當忠實，校審頗精，甚至校審者還有一定的『正字』意識，古林書堂本原有不少簡筆俗字，如『无』『万』『夅』等，此本未圖省筆便於小字刻印而從底本，反而基本都改成了筆畫較繁的正字『無』『萬』『舉』等。從另一角度來看，這也有可能是活字印刷的特點所致，因爲預排字模常用字大都作正字，且數量足够，臨印嵌板時便不必再做新的俗字字模，祇選擇正字替換即可。如果是雕版的話，這樣自找麻煩且不忠實於底本的情況就顯得不合情理了。此本自生訛誤甚少，所見有《上古天真論篇第一》『故身體盛壯長極於斯』，此本作『故面體盛壯使胡於斯』；《四氣調神大論篇第二》『蟄虫坯户』，『坯』誤爲『不』；等等。

總體來看，《素問》朝鮮小字整板本刊印時間約接近於熊宗立本（一四七四）而略晚，或可能是以木活字印出，爲現存較早的版本。此本據元古林書堂本改版重刻，仍作十二卷，版小局促，印刷質量不高，品相欠佳，但勝在校審較精，訛誤較少，對於《黄帝内經》版本史相關研究仍具不小價值。

校正黃帝內經素問序

臣聞安不忘危，存不忘亡者，往聖之先務；求民之瘼，恤民之隱者，上主之深仁。在昔黃帝之御極也，以理身緒餘治天下，坐於明堂之上，臨觀八極，考建五常。以謂人之生也，負陰而抱陽，食味而被色，外有寒暑之相盪，內有喜怒之交侵，夭昏札瘥，國家代有。將欲斂時五福，以敷錫厥庶民，乃與岐伯上窮天紀，下極地理，遠取諸物，近取諸身，更相問難，垂法以福後世。於是雷公之倫，受業傳之，而內經作矣。歷代寶之，未有失墜。蒼周之興，秦和述六氣之論，具明於左史。厥後越人得其一二，演而述難經。西漢倉公傳其舊學，東漢仲景撰其遺論，晉皇甫謐次而為甲乙，及隋楊上善纂而為大素，時則有全元起者始爲之訓觧闕第七一通迄唐寶應中太僕王冰篤好之得先師所藏之卷大爲次註猶是三皇遺文爛然可觀惜乎唐令列之醫學付之執技之流而薦紳先生罕言之去聖已遠其述晻昧是以文註紛錯義理混淆殊不知三墳之餘帝王之高致聖賢之能事唐堯之授四時虞舜之齊七政神禹脩六府以興帝功文王之推六子以叙卦氣伊尹調五味以致君箕子陳五行以佐世其致一也奈何以至精至微之道傳之以至下至淺之人其不廢絕爲已幸矣頃在嘉祐中仁宗念聖祖之遺事將墜于地廼詔通知其學者俾之是正臣等承乏典校伏念旬歲遂廼搜訪中外裒集衆本寖尋其義正其訛舛十得其三四餘不能具竊謂未足以稱明詔

副聖意，而又採漢唐書錄古醫經之存於世者，得數十家，叙而考正焉。貫穿錯綜，磅礴會通，或端本以尋支，或泝流而討源，定其可知，次以舊目，正繆誤者六千餘字，增註義者二千餘條，一言去取，必有稽考，舛文疑義，於是詳明。以之治身，可以消患於未兆；施於有政，可以廣生於無窮。恭惟皇帝撫大同之運，擁無疆之休，述先志以奉成，興微學而永正，則和氣可召，災害不生，陶一世之民，同躋于壽域矣。國子博士臣高保衡、光祿卿直秘閣臣林億等謹上

朝奉郎守國子博士同校正醫書上騎都尉賜緋魚袋高保衡

朝奉郎守尚書屯田郎中同校正醫書騎都尉賜緋

魚袋孫奇

朝散大夫守光禄卿直秘閣判登聞檢院上護軍林

億

黃帝內經素問序

啓玄子王冰撰

新校正云按唐人物志冰仕唐爲太僕令年八十餘以壽終

夫釋縛脫艱全真導氣拯黎元於仁壽濟羸劣以獲安者非三聖道則不能致之矣孔安國序尚書曰伏羲神農黃帝之書謂之三墳言大道也班固漢書藝文志曰黃帝內經十八卷素問即其經之九卷也兼靈樞九卷廼其數焉新校正云詳王氏此說蓋本皇甫士安甲乙經之序彼云七略藝文志黃帝內經十八卷今有鍼經九卷素問九卷共十八卷即內經也故王氏遵而用之又素問外九卷漢張仲景及西晉王叔和脈經只爲之九卷皇甫士安名爲鍼經亦專名九卷楊玄操云黃帝內經二帙帙各九卷按隋書經籍志謂之九靈王冰名爲靈樞雖復年移代革而授學猶存懼非其人而時有所隱故第七一卷師氏藏之今之奉行惟八卷爾然

而其文簡其意博其理奧其趣深天地之象分陰陽之候列變化之由表死生之兆彰不謀而遐邇自同勿約而幽明斯契稽其言有徵驗之事不忒誠可謂至道之宗奉生之始矣假若天機迅發妙識玄通蕆謀雖屬乎生知標格亦資於詁訓未嘗有行不由逕出不由戶者也然刻意研精探微索隱或識契真要則目牛無全故動則有成猶鬼神幽贊而命世奇傑時時間出焉則周有秦公（新校正云按别本一作和緩）漢有淳于公魏有張公華公皆得斯妙道者也咸日新其用大濟蒸人華葉遞榮聲實相副蓋教之著矣亦天之假也冰弱齡慕道夙好養生幸遇真經式爲龜鏡而世本紕繆篇目重疊前後不倫文義懸隔施行不易披會亦難歲月既淹襲以成弊或

一篇重出而別立二名或兩論併吞而都為一目或問荅未已別樹篇題或脫簡不書而云世闕重合經而冠鍼服併方宜而為欬篇隔虛實而為逆從合經絡而為論要節皮部為經絡退至道以先鍼諸如此流不可勝數且將升岱嶽非逕奚為欲詣扶桑無舟莫適乃精勤博訪而并有其人歷十二年方臻理要詢謀得失深遂夙心時於先生郭子齋堂受得先師張公秘本文字昭晰義理環周一以參詳羣疑冰釋恐散於末學絕彼師資因而撰註用傳不朽兼舊藏之卷合八十一篇二十四卷勒成一部新校正云詳素問第七卷亡已久矣按皇甫士安晉人也序甲乙經云亦有亡失隋書經籍志載梁七錄亦云止存八卷全元起隋人所注本乃無第七王冰唐寶應中人上至晉皇甫謐甘露中已六百餘年而冰自為得舊藏之卷今竊疑之仍觀天元紀大論五運行論六微旨論氣交變論五常政

論六元正紀論至真要論七篇居今素問四卷篇卷浩大不與素問前後篇卷等又且所載之事與素問餘篇略不相通竊疑此七篇乃陰陽大論之文王氏取以補所亡之卷猶周官無冬官以考工記補之之類也又按漢張仲景傷寒論序云撰用素問九卷八十一難經陰陽大論是素問與陰陽大論兩書甚明乃王氏并陰陽大論於素問中也要之陰陽大論亦古醫經終非素問第七矣冀乎究尾明首尋註會
經開發童蒙宣揚至理而已其中簡脫文斷義不相接
者搜求經論所有遷移以補其處篇目墜缺指事不明
者量其意趣加字以昭其義篇論吞并義不相涉闕漏
名目者區分事類別目以冠篇首君臣請問禮儀乖失
者考校尊卑增益以光其意錯簡碎文前後重疊者詳
其指趣削去繁雜以存其要辭理秘密難粗論述者別
撰玄珠以陳其道新校正云詳王氏玄珠世無傳者今有玄珠十卷昭明隱旨三卷蓋後人附託之文也雖非王氏之書亦於素問第十九卷至二十二四卷頗有發明其隱旨三卷與今世所謂天元玉

冊者在胡表裏而具王冰之羕多不同凡所加字皆朱書其文使今古必

分字不雜糅也女救雜也反庶厥昭彰聖旨敷暢玄言有如列

宿高懸奎張不亂深泉淨瀅音瑩鱗介咸分君臣無夭枉

之期夷夏有延齡之望俾工徒勿誤學者惟明至道流

行徽音累屬千載之後方知大聖之慈惠無窮時大唐

寶應元年歲次壬寅序

將仕郎守殿中丞孫兆重改誤

補註釋文黄帝内經素問總目

是書乃醫家至切至要之文惜乎舊本訛舛漏落有誤學者本堂今求到元豐孫校正家藏善本重加訂正分為一十二卷以便檢閱衛生君子幸垂藻鑑

卷之一

卷之二

卷之三

卷之四

卷之五

卷之六

卷之七

卷之八

卷之十一

六元正紀大論　刺法論篇七

本病論篇七　至真要大論篇

卷之十二

著至教論　示從容論

疏五過論　徵四失論

陰陽類論　方盛衰論

解精微論

元本二十四卷今併爲一十二卷刊行

補註釋文黃帝內經素問總目　畢

新刊補註釋文黄帝内經素問卷之一

啓玄子次註林億孫奇高保衡等奉勑校正孫兆重改誤

新校正云按王氏不解所以名素問之義及素問之名起於何代按隋書經籍志始有素問之名甲乙經序晉皇甫謐之文已云素問論病精辨王叔和西晉人撰脈經云出素問鍼經漢張仲景撰傷寒卒病論集云撰用素問是則素問之名著於隋志上見於漢代也自仲景已前無文可見莫得而知據今世所存之書則素問之名起漢世也所以名素問之義全元起有說云素者本也問者黄帝問岐伯也方陳性情之源五行之本故曰素問元起雖有此解義未甚明按乾鑿度云夫有形者生於無形故有太易有太初有太始有太素太易者未見氣也太初者氣之始也太始者形之始也太素者質之始也氣形質具而疴瘵由是萌生故黄帝問此太素質之始也素問之名義或由此

○上古天真論篇第一

新校正按全元起注本在第九卷王氏重次篇第移冠篇首今註逐篇必具全元起本之卷第者欲存素問舊第目見今之篇次皆王氏之所移也

昔在黃帝、生而神靈、弱而能言、幼而徇齊、長而敦敏、成而登天、有熊國君少典之子、姓公孫、徇、疾也、敦、信也、敏、[illegible]達也、習用干戈、以征不享、平定天下、殊族咸至[illegible]以土德王、都軒轅之丘、故號之曰軒轅黃帝、後鑄鼎於鼎湖山、鼎成而白日升天、群臣葬衣冠於橋山、墓今猶在[illegible]徐閏反

廼問於天師曰、余聞上古之人、春秋皆度百歲、而動作不衰、今時之人、年半百、而動作皆衰者、時世異耶、人將失之耶、天師岐伯也

岐伯對曰、上古之人、其知道者、法於陰陽、和於術數、上古、謂玄古也、知道、謂知修養之道也、夫陰陽者、天地之常道、術數者、保生之大倫、故修養者、必謹先之、老子曰、萬物負陰而抱陽、沖氣以為和、四氣調神大論曰、陰陽四時者、萬物之終始也、死生之本也、逆之則災害生、從之則苛疾不起、是謂得道、此之謂也、食飲有節、起居有常、不妄作勞、食飲者、充虛之滋味、起居者、動止之綱紀、故修養者、謹而行之、痹論曰、飲食自倍、腸胃乃傷、生氣通天論曰、起居如驚、神氣乃浮、是惡妄動也、廣成子曰、必靜必清、無勞汝形、無搖汝精、乃可以長生、故聖人先之也、〇新校正云、按全元起注本云、飲食有常節、起居有常度、不妄不作、太素同、楊上善云、

以理而取聲色芳味不妄視聽也循理而動不為分外之事■交至反

故能形與神俱而盡終其天年度百歲乃去

形與神俱同臻壽分謹於修養以奉天真故盡得終其天年去謂去離於形骸也靈樞經曰人百歲五藏皆虛神氣皆去形骸獨居而終矣以其知道故年長壽延年度百歲謂至一百二十歲也尚書洪範曰一曰壽百二十歲也

今時之人不然也

動之死地離於道也

以酒為漿

溺於飲也

以妄為常

寡於信也

醉以入房

過於色也

以欲竭其精以耗散其真

樂色曰欲輕用曰耗樂色不節則精竭輕用不止則真散是以聖人愛精重施髓滿骨堅老子曰弱其志強其骨河上公曰有欲者亡身曲禮曰欲不可縱新校正云按甲乙經耗作好

不知持滿不時御神

言輕用而縱欲也老子曰持而盈之不如其已言愛精保神如持盈滿之器不慎而動則傾竭天真真誥曰常不能慎事自致百疴豈可怨咎於神明乎此之謂也新校正云按別本時作解

務快其心逆於生樂

快於心欲之用則逆養生之樂矣老子曰甚愛必大費此之類歟夫甚愛而不能救議道而以為未然者伐生之大患也

起居無節故半百而衰也

亦耗散而致是也夫道者不可斯須離離於道則壽不能終盡於天年矣老子曰物壯則老謂之不道不道早已此之謂離道也

者背之不違不逆有亡此之故離世也夫上古聖人之教下也皆謂之虛
邪賊風避之有時邪乘虛入是謂虛邪竊害中和謂之賊風避之有時謂八節之日及太一
入徙立於中宮朝八風之日也靈樞經曰邪氣不得其虛不能獨傷人明人虛乃邪勝之也〇新校正云按全
元起注本云上古聖人之教也下皆為之太素千金同楊上善云上古聖人使人行者身先行之為不言之教
不言之教勝有言之教故下百姓倣行者眾故曰下皆為之者一入發於中吉朝入異蔓具天元王冊中恬
憺虛無真氣從之精神內守病安從來恬憺虛無靜也法道清淨精氣
內持故其虛邪不能為害■■■反■書■是以志閑而少欲心安而不懼
形勞而不倦內機息故少欲外紛靜故心安然情欲兩亡是非一貫起居皆適故不倦也氣
從以順各從其欲皆得所願志不貪故所欲皆順心易足故所願必從以不異求
故無難得也老子曰知足不辱知止不殆可以長久故美其食順精麤也〇新校正云按別本麤一
作寸任其服隨美惡也樂其俗去傾慕也高下不相慕其民故曰朴
至無求也是所謂心足也老子曰禍莫大於不知足咎莫大於欲得故知足之足常足矣蓋非謂物足者為知

足心足者乃爲知足矣不志於欲是則朴同故聖人云我無欲而民自朴○新校正云按別本曰作日是以嗜欲不能勞其目淫邪不能惑其心目不妄視故嗜欲不能勞心與玄同故淫邪不能惑老子曰不見可欲使心不亂又曰聖人爲腹不爲目愚智賢不肖不懼於物故合於道情計兩亡不爲謀府冥心一觀勝負俱捐故心志保安合同於道庚桑楚曰全汝形抱汝生無使汝思慮營營○新校正云按全元起注本云合於道數所以能年皆度百歲而動作不衰者以其德全不危也不涉於危故德全也莊子曰執道者德全德全者形全形全者聖人之道也又曰無爲而性命不全者未之有也帝曰人年老而無子者材力盡邪將天數然也材謂材幹可以立身者岐伯曰女子七歲腎氣盛齒更髮長老陽之數極於九少陽之數次於七女子爲少陰之氣故以少陽數偶之明陰陽氣和乃能生成其形體故七歲腎氣盛齒更髮長[illegible]古[illegible]反下齒更同二七而天癸至任脈通太衝脈盛月事以時下故有子癸謂壬癸北方水干名也任脈衝脈皆奇經脈也腎氣全盛衝任流通經血漸盈應時而下天真之氣降與之從事故云天癸

也然衝為血海任主胞胎二者相資故能有子所以謂之月事者平和之氣常以三旬而一見也故愆期者謂之有病〇新校正云按全元起註本及太素甲乙經俱作伏衝下太衝同[illegible]如林反

三七腎氣平均故真牙生而長極

真牙謂牙之最後生者腎氣平而真牙生者表牙齒為骨之餘也

四七筋骨堅髮長極身體盛壯

女子天癸之數七七而終年居四七材力之半故身體盛壯長極於斯

五七陽明脈衰面始焦髮始墮

陽明之脈氣營於面故其衰也髮墮面焦靈樞經曰足陽明之脈起於鼻交頞中下循鼻外入上齒中還出挾口環脣下交承漿卻循頤後下廉出大迎循頰車上耳前過客主人循髮際至額顱手陽明之脈上頸貫頰入下齒縫中還出挾口故面焦髮墮也[illegible][illegible]夾反下同[illegible][illegible]葛反[illegible]落胡反

六七三陽脈衰於上面皆焦髮始白

三陽之脈盡上於頭故三陽衰則面皆焦髮始白所以衰者婦人之生也有餘於氣不足於血以其經月數泄脫之故

七七任脈虛太衝脈衰少天癸竭地道不通故形壞而無子也

經水絕止是為地道不通衝任衰微故云形壞無子

丈夫八歲腎氣實髮長齒更

老陽之數極於九少陽之數次於八男子為少陽之氣故以少陽數

合之易繫辭曰天九地十則其數也二八腎氣盛天癸至精氣溢寫陰陽和故能有子男女有陰陽之質不同天癸則精血之形亦異陰靜海滿而去血陽動應合而泄精二者通和故能有子易繫辭曰男女構精萬物化生此之謂也三八腎氣平均筋骨勁強故真牙生而長極以其好用故爾四八筋骨隆盛肌肉滿壯丈夫天癸八八而終年居四八亦材之半也五八腎氣衰髮墮齒槁腎主於骨齒為骨餘腎氣既衰精無所養故令髮墮齒復乾枯六八陽氣衰竭於上面焦髮鬢頒白陽氣亦陽明之氣也靈樞經曰足陽明之脈起於鼻交頞中下循鼻外入上齒中還出挾口環脣下交承漿卻循頤後下廉出大迎循頰車上耳前過客主人循髮際至額顱故衰於上則面焦髮鬢白也七八肝氣衰筋不能動天癸竭精少腎藏衰形體皆極肝氣養筋肝衰故筋不能動腎氣養骨腎衰故形體疲極天癸已竭故精少也匱作材力衰謝固當天數使然八八則齒髮去陽氣竭精氣衰故齒髮不堅離形骸矣去落也腎者主水受五藏六府之精而藏之故五藏盛乃能寫五藏六府精氣淫溢而滲灌於腎腎

識乃受而藏之行以明之靈樞經曰五藏主藏精尚不可傷傷則五藏各有精隨[illegible]而[illegible]此乃腎者[illegible]會開[illegible]之[illegible]非腎一藏而府有精故曰五藏實乃能寫也今五藏皆衰筋骨解

墮天癸盡矣故髮鬢白身體重行步不正而無子耳所謂物壯則老謂之天道者也帝曰有其年已老而有子者何也言以非天癸之數也

岐伯曰此其天壽過度氣脈常通而腎氣有餘也所稟天眞之氣本自有餘也此雖有子男不過盡八八女不過盡七七

而天地之精氣皆竭矣雖老而生子子壽亦不能過天癸之數帝曰夫道

者年皆百數能有子乎岐伯曰夫道者能卻老而全形

身年雖壽能生子也是所謂得道之人也道成之壽由下章云黄帝曰余聞

上古有眞人者提挈天地把握陰陽眞人謂成道之人也夫眞人之身隱見莫測其爲小也入於無間其爲大也徧於空境其變化也出入天地内外莫見迹順至眞以表道成之發兆也此者故能提挈天地把握陰陽也

呼吸精氣獨立守神肌肉若一眞人心合

於氣氣合於神神合於無故乎吸精氣獨立守神肌膚志氣壹緯約如處子○新校正云按全元起注本云身肌宗一太素同楊上善云真人身之肌体與太極同質故云宗一故能壽敝天地無有終時体同於道壽與道同故能無有終時而壽盡天地也敝皮祭反盡也此其道生惟至道生乃能如是中古之時有至人者淳德全道全其至道故曰至人然至人以此淳樸之德全彼妙用之道○新校正云詳楊上善云積精全神能至於德故稱至人也和於陰陽調於四時和謂同和調謂調適言至人動靜必適中於四時生長收藏之令參同於陰陽寒暑升降之宜去世離俗積精全神心遠世紛身離俗染故能積精而復全神游行天地之間視聽八遠之外神全故也庚桑楚曰神全之人不慮而通不謀而當精照無外志凝宇宙若天地然又曰体合於心心合於氣氣合於神神合於無其有介然之有唯然之音雖遠際八荒之外近在眉睫之內來干我者吾必盡知之夫如是者神全故所以能矣聽言接此蓋益其壽命而強者也亦歸於真人同歸於道也其次有聖人者處天地之和從八風之理與天地合德與日月合明與四時合其序與鬼神合其吉凶故曰聖人所以處天地

之者尊和賢八風之正理欲其養正退散虛邪適嗜欲於世俗之間無恚嗔之
心聖人志深於道故適於嗜欲心全廣愛故不有恚嗔是以常德不離發身不爲[illegible]於甚反行不欲
離於世被服章新校正云詳被服章三字疑似此三字上下文不屬舉不欲觀於
俗聖人舉事行止雖常在時俗之間然其見爲則與時俗有異爾何者貴法道之清靜也老子曰我獨異於
人而貴求食於母朩壽道也外不勞形於事內無思想之患聖人爲無爲事
無事是以內無思想外不勞形以恬愉為務以自得為功恬靜也愉悅也法道清靜
適性而動故悅而自得也形體不敝精神不散亦可以百數外不勞形內無
思想故形體不敝精神保全神守不離故年登百數此皆全性之所致爾庚桑楚曰聖人之於聲色滋味也利
於性則取之害於性則捐之此全性之道也敝疲敝也其次有賢人者法則天地
象似日月次聖人者謂之賢人然自強不息精了百端不慮而通發謀必當志同於天地心燭於洞
幽故云法則天地象似日月也辯列星辰逆從陰陽分別四時星衆星也辰北
辰也辯列者謂定內外星官座位之所於天三百六十五定遠近之分次出逆從陰陽者謂以六月等患脈逆

發而推步吉凶之徵兆也陰陽書曰人中甲子從甲子起以乙丑爲次順數之地下甲子從甲戌起以癸酉爲次逆數之此之謂逆從也分別四時者謂分其氣序也春温夏暑熱秋清凉冬冰冽此四時之氣序也

從上古合同於道亦可使益壽而有極時[illegible]從上古人同於道謂也上古知道之人法於陰陽和於術數食飲有節起居有常不妄作勞也上古知道之人年度百歲而去故可使益壽而有極時也

○四氣調神大論篇第二新校正云按全元起本在第九卷

春三月此謂發陳春陽上升氣潛發能生育庶物陳其姿容故曰發陳也謂春三月者皆因節候而命之夏秋冬亦然天地俱生萬物以榮天氣温地氣發温發和合故萬物滋榮夜臥早起廣步於庭温氣生寒氣散故夜臥早起廣步於庭被髮緩形以使志生法象也春氣發生於萬物之首故被髮緩形以使志意發生也生而勿殺予而勿奪賞而勿罰春氣發生施無求報故養生者必順於時也[illegible]書與此春氣之應養生之道也所謂因時之序也然立春之節初五日東風解凍次五日蟄虫始振後五日魚上冰

次雨水氣初五日獺祭魚次五日鴻鴈來後五日草木萌動次仲春驚蟄之節初五日桃始華○新校正云詳
小桃華月令作桃始華○次五日倉庚鳴後五日鷹化為鳩次春分氣初五日玄鳥至次五日雷乃發聲芳榮
葉發五日始電次季春清明之節初五日桐始華次五日田鼠化為鴽牡丹華後五日虹始見次穀雨氣初五
日萍始生次五日鳴鳩拂其羽後五日戴勝降于桑凡此六氣一十八候皆春陽布發生之令故養生者必謹
奉天時也○新校正云詳芍藥榮牡丹華令月令無■也逆反■音如舊也逆之則傷肝
夏為寒變奉長者少逆謂反行秋令也肝象木王於春故行秋令則肝氣傷夏火王而木
廢故病生於夏然四時之氣春生夏長逆春傷肝故少氣以奉於夏長之令也夏三月此謂蕃
秀陽自春生至夏洪盛物生以長故蕃秀也蕃茂也盛也秀華也美也天地氣交萬物華
實舉夏至也脉要精微論曰夏至四十五日陰氣微上陽氣微下由是則天地氣交也然陽氣施化陰氣結
成成合相合故萬物華實也陰陽應象大論曰陽化氣陰成形夜臥早起無厭於日使
志無怒使華英成秀使氣得泄若所愛在外緩陽氣則物化寬志
意則氣泄物化則華英成秀氣泄則膚腠宣通時令發陽故所愛亦順陽而在外也此夏氣之應

養長之道也立夏之節初五日螻蟈鳴次五日蚯蚓出後五日赤苗生○新校正按月令作王瓜
生次小滿氣初五日苦菜華○新校正按月令作苦菜秀次五日靡草死後五日小暑至次仲夏芒種之節初
五日螳螂生次五日鵙始鳴後五日反舌無聲次夏至氣初五日鹿角解次五日蜩始鳴後五日半夏生木堇
榮次季夏小暑之節初五日溫風至次五日蟋蟀居壁後五日鷹乃學習次大暑氣初五日腐草化為螢火五
日土潤溽暑後五日大雨時行凡此六氣一十八候皆夏氣陽蕃秀之令故養生者必敬順天明也○新校正
詳未蓋景令月令無[illegible]古問反[illegible]等篇逆之則傷心秋為痎瘧奉收者少
冬至重病逆謂反行冬令也痎痎瘦之瘧也心象火王於夏故行冬令則心氣傷秋金王而火衰故
病發於秋而為痎瘧也然四時之氣秋收冬藏逆夏傷心故少氣以奉於秋收之令也冬水勝火故重病於冬
至之時也[illegible]音皆一秋三月此謂容平萬物夏長華實已成容狀至秋平而定也天氣
以急地氣以明天氣已急風聲切也地氣以明物色變也早臥早起與雞俱
興懼中寒露故早臥欲使安寧故早起使志安寧以緩秋刑志氣躁則不慎其動不慎
其動則助秋刑急順殺伐生故使志安寧緩秋刑也收斂神氣使秋氣平神蕩則欲熾欲

緩則傷乎氣和氣既傷則秋氣不平調也故收斂神氣使秋氣平也無外其志使肺氣清亦順秋氣之收斂也此秋氣之應養收之道也立秋之節初五日涼風至次五日白露降後五日寒蟬鳴處暑之節初五日鷹乃祭鳥次五日天地始肅後五日禾乃登本[illegible]長白露之節初五日盲風至鴻鴈來次五日玄鳥歸後五日群鳥養羞秋分氣初五日雷乃收聲次五日蟄蟲坏戶景天華後五日水始涸[illegible]季秋寒露之節初五日鴻鴈來賓次五日雀入大水為蛤後五日菊有黃華[illegible]霜降氣初五日豺乃祭獸次五日草木黃落後五日蟄蟲咸俯凡此六氣一十八候皆秋氣正收斂之令故養生者必謹奉天時逆○新校正云詳景天華三字今月令無坏步回反逆之則傷肺冬為飧泄奉藏者少逆謂反行夏令也肺象金王於秋故行夏令則氣傷冬水王而金衰故病發於冬飧泄者食不化而迸出也逆秋傷肺故少氣以奉於冬藏之令也飧音孫冬三月此謂閉藏草木凋蟄蟲去地戶閉塞陽氣伏藏水冰地坼無擾乎陽陽氣下沈水冰地坼故宜周密不欲煩勞擾謂煩也勞也早臥晚起必待日光避於寒也使志若伏若匿令詳匿字當作遷若有私意若已有得皆謂不欲妄出於外觸冒寒氣也故下文云去寒就

溫無泄皮膚使氣亟奪

去寒就溫言居深室也靈樞經曰冬日在骨蟄蟲周密君子居室無泄皮膚謂勿汗也汗則陽氣發泄陽氣發泄則數為寒氣所迫奪之亟數亟【亟】去吏反

此冬氣之應養藏之道也

立冬之節初五日水始冰次五日地始凍後五日雉入大水為蜃次小雪氣初五日虹藏不見次五日天氣上騰地氣下降後五日閉塞而成冬次中冬大雪之節初五日冰益壯地始坼鶡鳥不鳴次五日虎始交後五日芸始生荔挺出次冬至氣初五日蚯蚓結次五日麋角解後五日水泉動次季冬小寒之節初五日鴈北鄉次五日鷙鳥厲疾後五日水澤腹堅凡此六氣一十八候皆冬氣正養藏之令故養生者必謹奉天時也【[illegible]】音稍【[illegible]】大頂反【[illegible]】音向

逆之則傷腎春為痿厥奉生者少

逆謂反行夏令也腎象水王於冬故行夏令則腎氣傷春木王而水廢故病發於春也逆冬傷腎故少氣以奉於春生之令也

天氣清靜光明者也

言天明不竭以清淨故致之人壽延長亦由順變而得故言天氣以示於人也

藏德不止

新校正云按別本止一作上

故不下也

四時成序七曜周行天不形言是藏德也德隱則應用不屈故不下也老子曰上德不德是以有德也言天至尊高德猶見隱也況全生之道而不順天乎

天明則日月不明邪害空竅

天所以藏德者為其欲隱大明故大明見則小明滅故大明之德不可不藏天若自明則日月之明隱矣所論者何言人之真氣亦不可泄露當清淨法道以保天真苟離於道則虛邪入於空竅■音叫

陽氣者閉塞地氣者冒明

陽謂天氣亦風熱也地氣謂濕亦雨霧也風熱之害人則九竅閉塞雨霧之為病則掩翳精明取類者在天則日月不光在人則兩目藏曜也靈樞經曰天有日月人有眼目易曰喪明于易豈非失養生之道邪

雲霧不精則上應白露不下

霧者雲之類露者雨之類夫陽盛則地不上應陰虛則天不下交故雲霧不化精微之氣上應於天而為白露不下之咎矣陰陽應象大論曰地氣上為雲天氣下為雨雨出地氣雲出天氣明二氣交合乃成雨露方盛衰論曰至陰虛天氣絕至陽盛地氣不足明氣不■召亦不能交合也

交通不表萬物命故不施不施則名木多死

夫雲霧不化其精微雨露不霑於原澤是為天氣不降地氣不騰變化之道既虧生育之源斯泯故萬物之命無稟而生然其死者則名木先應故云名木多死也名謂名果珍木表謂表陳其狀也■辭曰天地絪縕萬物化醇然不表交通則為否也易曰天地不交否■符鄙反

惡氣不發風雨不節白露不下則菀槁不榮

惡謂害氣也發謂■蓋也節謂節度也菀[illegible][illegible]

積也槁謂枯槁也言害氣伏藏而不散發風雨無度折傷復多槁木菀積春不榮也豈唯其物獨遇是而有之哉人離於道亦有之矣故下文[illegible]於逆[illegible][illegible][illegible][illegible][illegible]台予賊風數至暴雨數起天地四時不相保與道相失則未央絕滅不順四時之和數犯八風之害與道相失則天真之氣未期久遠而致滅亡央久也遠也唯聖人從之故身無奇病萬物不失生氣不竭道非遠於人人心遠於道惟聖人心合於道故壽命無窮從猶順也謂順四時之令也然四時之令不可逆之逆之則五藏內傷而他疾起逆春氣則少陽不生肝氣內變生謂動出也陽氣不出內鬱於肝則肝氣混糅變而傷矣逆夏氣則太陽不長心氣內洞長謂外茂也洞謂中空也陽不外茂內薄於心燠熱內消故心中空也燠音欲逆秋氣則太陰不收肺氣焦滿收謂收斂焦謂上焦也太陰行氣主化上焦故肺氣不收上焦滿也○新校正云按焦滿全元起本作進滿甲乙太素作焦滿逆冬氣則少陰不藏腎氣獨沉沉謂沉伏也少陰之氣內通於腎故少陰不伏腎氣獨沉○新校正云詳獨沉太素作沉濁夫四時陰陽者萬物之根本也時序運行陰陽變化天地合氣

生育萬物故萬物之根悉歸於此所以聖人春夏養陽秋冬養陰以從
其根陽氣根於陰陰氣根於陽無陰則陽無以生無陽則陰無以化全陰則陽氣不極全陽則陰氣不窮
春食涼夏食寒以養於陽秋食溫冬食熱以養於陰滋苗者必固其根伐下者必枯其上故以斯調節從順其
根二氣常存蓋由根固百刻曉暮食亦宜然[illegible]故與萬物沉浮於生長之門聖人
所以身無奇病生氣不竭者以順其根也逆其根則伐其本壞其真矣是則失四
時陰陽之道也故陰陽四時者萬物之終始也死生之本也逆
之則災害生從之則苛疾不起是謂得道謂得養生之道守者重也
道者聖人行之愚者佩之聖人心合於道故勤而行之愚者性守於迷故佩服而已
老子曰道者同於道德者同於德失者同於失同於道者道亦得之同於德者德亦得之同於失者失亦得之
愚者未同於道德則可謂失道者也從陰陽則生逆之則死從之則治逆
之則亂反順為逆是謂內格格拒也謂內性格拒於天道也是故聖人
不治已病治未病不治已亂治未亂此之謂也知之至也夫

病已成而後藥之亂已成而後治之譬猶渴而穿井鬬
而鑄兵不亦晚乎知不及時也備御虛邪事符握虎噬而後藥雖悔何為

○生氣通天論篇第三新校正云按全元起注本在第四卷

黃帝曰夫自古通天者生之本本於陰陽天地之間六
合之內其氣九州九竅五藏十二節皆通乎天氣六合謂四
方上下也九州謂冀兗青徐揚荊豫梁雍也外布九州而內應九竅故云九州九竅也五藏謂五神藏也五神
藏者肝藏魂心藏神脾藏意肺藏魄腎藏志而此成形矣十二節者十二氣也天之十二節氣人之十二經脈
而外應之咸同天紀故云皆通乎天氣也十二經脈者謂手三陰三陽足三陰三陽也○新校正云詳通天者
生之本六節藏象論甚詳又按全元起本云九竅者謂耳目等七竅前竅二也
其生五其氣三數
犯此者則邪氣傷人此壽命之本也言人生之清運為用內象五行以立
然其蔽塞天地之內則邪氣襲三元以成三謂天氣道氣
更氣也犯則邪氣翔犯於生氣也邪氣數犯則生氣循
是故奉養天真以為壽命之本也東來是曰聖人之謂
萬物也以全其天天全則神全矣聖福經曰血氣者人

之神不可不謹春此之養也蒼天之氣清淨則志意治順之則陽氣
固家壽養天後生之主色陽者天氣世陰陽悉象大壽日壽陽壽天則其養轉樺天全命全之理全圓形
壽先全雖有賊邪弗能害也此因時之序以因天四時之象序故民得之
氣不能害也故聖人傳精神服天氣而通神明夫精神可傳能聖人循道
者乃差然火晝天真之氣此苦風自通於神明世失之則內閉九竅外壅肌肉
衛氣散解失講逆著天著南之莊逆森閉棄者合干之會爭世上者日湯氣著閉塞書兩氣之縮人
賊發實閉塞地臺畫經日冑宰著府以罡分肉西充皮膂肥腠理而司偏圓誠失其度具內閉丸實外壅界肉
以辭不營運故言啟綠也分上華此謂自傷氣之削也夫熱養天之氣違清衛之理皮
五真之氣而閱去之者養天卒之人自壽之食陽氣者若天與日失其所則折
壽而不彰北羽前陽氣之用也論人之有陽若天之者曰天笑夢所則日不男人失其所則陽不固
日子明則天皆皿昧不固財人壽天斬故天運當以日光明失之主固害壽其陽氣
不是故陽因而上衛外者也此而以明陽氣道者之哉然靜宰人身之正閉也

因於寒，欲如運樞，起居如驚，神氣乃浮。

欲如運樞謂內動也起居如驚謂暴卒也言因天之寒當深居周密如樞紐之內動不當煩擾筋骨使陽氣發泄於皮膚而傷於寒毒也若起若暴卒驅勞荒佚則神氣浮越無所綏寧矣脉要精微論曰冬日在骨蟄蟲周密君子居室四氣調神大論曰冬三月此謂閉藏水冰地坼無擾乎陽又曰使志若伏若匿若有私意若已有得去寒就溫無泄皮膚使氣亟奪此之謂也○新校正云按全元起本作連樞元起云陽氣定如運樞者動繫也卒倉没反佚音逸

因於暑，汗，煩則喘喝，靜則多言，

此則不能靜慎傷於寒毒至夏而變暑病也煩謂煩躁靜謂安靜喝謂大呵出聲也言病因於暑則當汗泄不為發表邪熱內攻中外俱熱故煩躁數大呵而出其聲也若不煩躁內熱外凉瘀熱攻中故多言而不次也喝一為為躁則到反喝呼葛反[illegible]依倨反

體若燔炭，汗出而散。

此重明可汗之理也為體若燔炭之炎熱者何以救之必以汗出乃熱氣施散燔一為燥非也

因於濕，首如裹，濕熱不攘，大筋緛短，小筋弛長，緛短為拘，弛長為痿。

表熱為病當汗泄之反濕其首若濕物裹之望除其熱熱氣不釋兼濕內攻大筋受熱則縮而短小筋得濕則引而長縮短故拘攣而不伸引長故痿弱而無力弛引也攘汝陽反除並

[illegible]音軟縮也於危反弱也[illegible]因於氣為腫四維相代陽氣乃竭素當氣疾
濕熱加之氣濕熱爭故為腫也然邪氣漸盛正氣浸微筋骨血肉互相代負故云四維相代也致邪代正氣不
宣通衛氣所從使至衰竭故言陽氣乃竭也衛者陽氣也陽氣者煩勞則張精絕辟
積於夏使人煎厥此又誡起居暴卒煩擾陽和也然煩按陽和勞疲筋骨動傷神氣耗竭天
真則筋脈膹脹精氣竭絕氣傷腎氣又損膀胱故當於夏時使人煎厥以煎迫而氣逆因以煎厥為名厥謂氣
逆也煎厥之狀當如下說○新校正云按脈解云所謂少氣善怒者陽氣不治陽氣不治則陽氣不得出肝氣
當治而未得故善怒善怒者名曰煎厥目盲不可以視耳閉不可以聽潰
潰乎若壞都汩汩乎不可止既且傷腎又竭膀胱腎經內屬於耳中膀胱脈生於
目眥故目盲所視耳閉厥聽大矣哉斯乃房之患也既盲目視又閉耳聾則志意心神筋骨腸胃潰潰乎若壞
汩汩乎頹閉而不可止也[illegible]古沒反[illegible]在計反又前計反陽氣者大怒則形氣絕而
血菀於上使人薄厥此又誡喜怒不節過用病生也然怒則傷腎甚則氣絕大怒則氣逆
而陽不下行陽逆故血積於心胷之內矣上謂心胷也然陰陽相薄氣血奔并因薄厥上故名薄厥舉痛論曰

志則氣逆甚則嘔血靈樞經曰盛怒而不止則傷志陰陽應象大論曰喜怒傷氣由此則怒甚氣逆血積於心
胸之內矣菀積也并去聲有傷於筋縱其若不容怒而過用氣或迫筋筋絡內傷機關
縱緩形容痿廢若不維持汗出偏沮使人偏枯夫人之身常偏汗出而潤濕者久久偏枯
半身不隨○新校正云按沮千金作祖全元起本作恒沮子魚反潤也汗出見濕乃生痤
痱陽氣發泄寒水制之熱怫內餘鬱於皮裏甚為痤癤微作痱瘡痱風癮也痤作和反痱方味反怫扶弗反
高梁之變足生大丁受如持虛高膏也梁粱也不忍之人汗出淋洗則結為痤
痱膏梁之人內多滯熱皮厚肉密故內變為丁矣外濕既侵中熱相感如持虛器受此邪毒故曰受如持虛所
以丁生於足者四支為諸陽之本也以其甚費於下邪毒襲虛故爾○新校正云按丁生之處不常於足蓋謂
膏梁之變饒生大丁非偏著足也勞汗當風寒薄為皶鬱乃痤時月寒涼形勞
汗發淒風外薄膚腠居寒脂液遂凝稸於玄府依空滲涸皶刺長於皮中形如米或如針久者上黑長分餘色
白黃而瘦於玄府中俗曰粉刺解表已玄府謂汗空也痤謂色赤䐜憤內蘊血膿形小而大如酸棗或如豌豆
此皆陽氣內鬱所為待耎攻之大甚焫出之皶莊加反稸寺竹反瘛尺制反焫而多反陽氣者精

則養神柔則養筋（此又明陽氣之運養也然陽氣者內化精微養於神氣外為柔耎以固於筋動靜失宜則生諸疾）開闔不得寒氣從之乃生大僂（開謂皮腠發泄闔謂玄府閉封然開闔失宜為寒所襲內深筋絡結固虛寒則筋絡拘緛形容僂俯矣靈樞經曰寒則筋急此其類也【音】力主反）陷脈為瘻留連肉腠（陷脈謂寒氣陷缺其脈也積寒留舍經血稽凝久瘀內攻結於肉理○故發為瘍瘻肉腠相連【瘻】力鬥反癰瘻）俞氣化薄傳為善畏及為驚駭（言若寒中於背俞之氣變化入深而薄於藏府者則善為恐畏及發為驚駭也【俞】音庶）營氣不從逆於肉理乃生癰腫（營逆則血鬱血鬱則熱聚為膿故為癰腫也正理論云熱之所過則為癰腫）魄汗未盡形弱而氣爍穴俞以閉發為風瘧（汗出未止形弱氣消風寒薄之穴俞隨閉熱藏不出以至於秋秋陽復收兩熱相合故令振慄寒熱相移以所起為風故名風瘧也金匱真言論曰夏暑汗不出者秋成風瘧義論從風而為是也故下文曰）故風者百病之始也清靜則肉腠閉拒雖有大風苛毒弗之能害此因時之序也（夫嗜欲不能勞其目淫邪不能惑其心不妄作勞是為清靜以其清靜故

能。肉腠閉，皮膚密，真正内拒，虚邪不侵，然大風苛毒，不必常求於人，蓋由人之自爲尔。故清靜則肉腠閉，陽氣拒，大風苛毒弗能害之。清靜者，謂因循四時氣序，養生調節之宜，不妄作勞，起居有度，則生氣不竭，永保康寧。

故病久則傳化，上下不并，良醫弗爲。并，謂氣交通也。然病之深久，變化相傳，上下不通，陰陽否隔，雖醫良法，亦何以爲之。陰陽應象大論曰：夫善用鍼者，從陰引陽，從陽引陰，以右治左，以左治右。若是氣相格拒，故良醫弗可爲也。否，塞也。

故陽畜積病死，而陽氣當隔，隔者當寫，不亟正治，粗乃敗之。言三陽畜積怫結不通，不急寫之，亦病而死。何者？蓄積不已，亦上下不并矣。何以驗之？隔塞不便，則其證也。若不急寫，粗工輕侮，必見敗亡也。陰陽別論曰：三陽結謂之隔。又曰：剛與剛，陽氣破散，陰氣乃消亡。淖則剛柔不和，經氣乃絶。淖，奴教反，下並同。

故陽氣者，一日而主外，晝則陽氣在外，周身行二十五度晝極經日目開則氣上行於頭循氣行於陽二十五度也。

平旦人氣生，日中而陽氣隆，日西而陽氣已虛，氣門乃閉。隆猶高也，盛也。夫氣之有者，皆自少而之壯，積暖以成壯，壯極又涼，物之理也。故陽氣平曉生，日中盛，日西而已減虛也。氣門，謂玄府也，所以發泄經脈營衛之氣，故謂之氣門也。

是故暮

而收拒無擾筋骨無見霧露反此三時形乃困薄皆所以順
陽氣也陽出則出陽藏則藏暮陽氣衰內行陰分故宜收斂以拒虛邪動筋骨則逆陽精耗見霧露則寒濕具
侵故顧此三時乃天真久遠也岐伯曰新校正云詳篇首云帝曰此岐伯曰非相對問也陰者
藏精而起亟也陽者衛外而為固也言在人之用也亟數也陰不
勝其陽則脈流薄疾并乃狂薄疾謂極虛而急數也并謂盛實也狂謂狂走或妄
攀登也陽并於四支則狂陽明脈解曰四支者諸陽之本也陽盛則四支實實則能登高而歌熱盛於身故棄
衣欲走也夫如是者皆為陰不勝其陽也陽不勝其陰則五藏氣爭九竅不
通九竅者內屬於藏外設為宮故五藏氣爭則九竅不通也言九竅謂前陰後陰不通兼言上七竅也若兼
則目為肝之官鼻為肺之官口為脾之官耳為腎之官舌為心之官舌非通竅也金匱真言論曰南方赤色入
通於心開竅於耳北方黑色入通於腎開竅於二陰故也是以聖人陳陰陽筋脈和
同骨髓堅固氣血皆從從順也言循陰陽法近養生道則筋脈骨髓各得其宜故氣血
皆能順時和氣也如是則內外調和邪不能害耳目聰明氣立

如故氣不乾故真氣獨立而如常若失聖人之道則致疾及身故下文引曰風客淫氣精
乃亡邪傷肝也自此已下四科並失聖人之道也風氣應肝故風淫精亡則傷肝也陰陽應
象大論曰風氣通於肝也風薄則熱起熱盛則水乾水乾則腎氣不營故精乃無也亡無也○新校正云按全
元起云淫氣者陰陽之亂氣因其相亂而風客之則傷精傷精則邪入於肝也因而飽食筋脈
橫解腸澼為痔甚飽則腸胃橫滿腸胃滿則筋脈解而不屬故腸澼而為痔也痺論曰飲食自
倍腸胃乃傷此傷之信也痔普摯反因而大飲則氣逆飲多則肺布葉舉故氣逆而上奔也
因而強力腎氣乃傷高骨乃壞強力謂強力入房也高骨謂腰高之骨也然強
力入房則精耗精耗則腎傷腎傷則髓氣內枯古高骨壞而不用也聖人交會則不如此當如下句云凡
陰陽之要陽密乃固陰陽交會之要者正在於陽氣閉密而不妄泄爾密不妄泄乃生氣
強固而能久長此聖人之道也兩者不和若春無秋若冬無夏兩謂陰陽和謂
和合則交會也若如也言絶陰陽和合之道者如天四時有春無秋有冬無夏也所以然者絶廢於生成也故
聖人不絶和合之道但貴於閉密以守固天真法也因而和之是謂聖度因陽氣盛發中

外拒應貢勇有餘乃相交合則聖人交會之制度也故陽強不能密陰氣乃絕陽自
強而不能閉密則陰泄寫而精氣竭絕矣陰平陽秘精神乃治陰氣和平陽氣閉密則精
神之用日益治也陰陽離決精氣乃絕若陰不和平陽不閉密強用施寫損耗天真二
氣分離經絡決憊則精氣不化乃絕流通也因於露風乃生寒熱因於露體觸冒風邪
風氣外侵陽氣內拒風陽相薄故寒熱由生是以春傷於風邪氣留連乃為洞
泄風氣通肝春木王木勝脾土故洞泄生也○新校正云詳陰陽應象大論曰春傷於風夏生飧泄夏
傷於暑秋為痎瘧夏熱已甚秋陽復收陽熱相攻則為痎瘧痎老也亦日瘦也秋傷
於濕上逆而欬是謂地濕氣也秋濕既勝冬水復王水來乘肺故欬逆病生○新校正按陰陽
應象大論云秋傷於濕冬生欬嗽發為痿厥濕氣內攻於藏府則欬逆外散於筋脈則痿弱也陰
陽應象大論曰地之濕氣感則害皮肉筋脈故濕氣之資發為痿厥厥謂逆氣也冬傷於寒春
必溫病冬寒且凝春陽氣發寒不為釋陽怫于中寒怫相持故為溫病○新校正云詳此與陰陽應象
大論重彼注甚詳四時之氣更傷五藏寒暑溫涼遞相勝負故四時之氣更傷五藏之

陰之所生本在五味陰之五宮傷在五味所謂陰者五神藏也宮者五神之舍也言五神所生本資於五味五味宣化各湊於本宮雖因五味以生亦因五味以損正為好而過節乃見傷也故下文曰是故味過於酸肝氣以津脾氣乃絕令人癃小便不利則肝多津液津液內溢則肝葉舉肝葉舉則脾經之氣絕而不行何者木制土也味過於鹹大骨氣勞短肌心氣抑鹹多食之令人膚縮短又令心氣抑滯而不行何者鹹走血也大骨氣勞鹹歸腎也味過於甘心氣喘滿色黑腎氣不衡甘多食之令人心悶甘性滯緩故令氣喘滿而腎不平何者土抑水也衡平也味過於苦脾氣不濡胃氣乃厚苦性堅燥又養脾胃故脾氣不濡胃氣強厚味過於辛筋脈沮弛精神乃央沮潤也弛緩也央久也辛性潤澤散養於筋故令筋緩脉潤精神長久何者辛補肝也藏氣法時論曰肝欲散急食辛以散之用辛補之○新校正云按此論味過所傷難作精神長久之辭央乃殃也古文通用如膏梁之作高梁草滋之作草滋之類盡古文簡略字多假借用者是故謹和五味骨正筋柔氣血以流腠理以密如是則氣骨以精

謹道如法長有天命是所謂修養天真之至道也

◯金匱真言論篇第四新校正云按全元起注本在第四卷

黃帝問曰天有八風經有五風何謂經謂經脉所以流通營衛血氣者也岐伯對曰八風發邪以為經風觸五藏邪氣發病原其所起則謂八風發邪經脉受之則循經而觸於五藏以邪干正故發病也所謂得四時之勝者春勝長夏長夏勝冬冬勝夏夏勝秋秋勝春所謂四時之勝也春木夏火長夏土秋金冬水皆以所剋殺而爲勝也言五時之相勝者不謂八風中人則病各謂遇其所勝則發病也勝謂制剋之也東風生於春病在肝俞在頸項春氣發榮於萬物之上故俞在頸項歷忌曰甲乙不治頸此之謂也南風生於夏病在心俞在胸脇心少陰脈循胸出脇故俞在焉西風生於秋病在肺俞在肩背肺處上焦背爲胸府肩背相次故俞在焉北風生於冬病在腎俞在腰股腰爲腎府股接次之以氣相連故兼言也中央為土病在脾俞在脊以脊應土言居中尒

故春氣者病在頭○春氣謂肝氣也各隨其藏氣之所應新校正云按周禮云春時有痟首疾夏氣者病在藏心之應也秋氣者病在肩背肺之應也冬氣者病在四支四支氣少寒毒善傷隨所受邪則爲病處故春善病鼽衄以氣在頭也禮記月令曰季秋行夏令則民多鼽嚏仲夏善病胸脅心之脈循胸脅故也長夏善病洞泄寒中土主於中是爲倉廩糟粕水穀故爲洞泄寒中也秋善病風瘧以凉折暑乃爲是病生氣通天論曰魄汗未盡形弱而氣爍穴俞以閉發爲風瘧此謂以凉折暑之義也禮記月令曰孟秋行夏令則民多瘧疾冬善病痹厥血象於水寒則水凝以氣薄流故爲痹厥故冬不按蹻春不鼽衄按謂按摩蹻謂如蹻捷者之舉動手足是所謂導引也然擾動筋骨則陽氣不藏春陽氣上升重熱熏肺肺通於鼻病則形之故冬不按蹻春不鼽衄鼽謂鼻中水出衄謂鼻中血出蹻音喬春不病頸項仲夏不病胸脅長夏不病洞泄寒中秋不病風瘧冬不病痹厥飧泄而汗出也此上五句並爲冬不按蹻之所致也○新校正云詳飧泄而汗出也六字上文疑剩夫精者身之本也故藏於精者

春不病溫此正謂冬不按蹻精氣伏藏以陽不妄升故春無溫病夏暑汗不出者
秋成風瘧此正謂以風凉之氣觧暑汗也○新按正云詳此下義與上文不相接此平人
脈法也謂平病人之脈法也故曰陰中有陰陽中有陽言其初起與其王也
平旦至日中天之陽陽中之陽也日中至黃昏天之陽
陽中之陰也日中陽盛故曰陽中之陽黃昏陰盛故曰陽中之陰陽氣主晝故平旦至黃昏皆為
天之陽而中復有陰陽之殊也合夜至雞鳴天之陰陰中之陰也雞鳴
至平旦天之陰陰中之陽也雞鳴陽氣未出故曰天之陰平旦陽氣已升故曰陰
中之陽故人亦應之夫言人之陰陽則外為陽內為陰言
人身之陰陽則背為陽腹為陰言人身之藏府中陰陽
則藏者為陰府者為陽藏謂五神藏府謂六化府肝心脾肺腎五藏
皆為陰膽胃大腸小腸膀胱三焦六府皆為陽靈樞經曰三焦
者上合於手心主又曰足三焦者太陽之別名也正理論曰三焦者有名無形上合於手心主下合右腎主謁

道諸氣名為使者所以欲知陰中之陰陽中之陽者何也為冬病在陰夏病在陽春病在陰秋病在陽皆視其所在為施鍼石也故背為陽陽中之陽心也心為陽藏位處上焦以陽居陽故為陽中之陽也靈樞經曰心為牡藏牡陽也背為陽陽中之陰肺也肺為陰藏位處上焦以陰居陽故謂陽中之陰也靈樞經曰肺為牝藏牝謂陰也腹為陰陰中之陰腎也腎為陰藏位處下焦以陰居陰故謂陰中之陰也靈樞經曰腎為牝藏牝陰也腹為陰陰中之陽肝也肝為陽藏位處中焦以陽居陰故謂陰中之陽也靈樞經曰肝為牡藏牡陽也腹為陰陰中之至陰脾也脾為陰藏位處中焦以太陰居陰故謂陰中之至陰也靈樞經曰脾為牝藏牝陰也此皆陰陽表裏內外雌雄相輸應也故以應天之陰陽也以其氣象參合故能上應於天帝曰五藏應四時各有收受乎岐伯曰有東方青色入通於肝開竅於目藏精於肝精謂精氣也木精之氣其神魂陽升之方以目為用故開竅於目其病發驚駭象木屈伸有搖動也

○新校正詳東方云病發驚駭餘方各闕者按五常政大論委和之紀其發驚駭疑此文為衍其味酸
其類草木性柔應而曲直其畜雞以雞為畜取巽言之易曰巽為雞其穀麥五穀
之長者麥故東方用之本草曰麥為五穀之長○新校正按五常政大論云其畜犬其穀麻其應四
時上為歲星木之精氣上為歲星十二年一周天是以春氣在頭也萬物發榮
於上故春氣在頭○新校正詳東方言春氣在頭不言故病在頭餘方言故病在某不言其氣在某者互文也
其音角角木聲也孟春之月律中大簇林鐘所生三分益一管率長八寸仲春之月律中夾鍾夷則所
生三分益一管率長七寸五分○新校正按鄭康成云七寸二千一百八十七分之寸千七十五○季春之月
律中姑洗南呂所生三分益一管率長七寸凡一十分寸之一○新校正按鄭康成云九分寸之一○凡是三
管皆木氣應之其數八木生數三成數八尚書洪範曰三曰木是以知病之在筋
也木之堅柔類筋氣故其臭臊凡氣因木變則為臊○新校正云詳臊月令作羶南方赤
色入通於心開竅於耳藏精於心火精之氣其神神舌為心之官當言於舌
舌用非竅故云耳也繆刺論曰手少陰之絡會於耳中義取此也故病在五藏以夏氣在藏也

其味苦其類火性炎上而燔灼[illegible]書煩其畜羊以羊為畜言其未也以土同王故通
而言之○新校正云按五常政大論云其畜馬其穀黍黍色赤其應四時上為熒
惑星火之精氣上為熒惑星七百四十日一周天是以知病之在脈也心之躁動
類於脉氣其音徵徵火聲也孟夏之月律中仲呂無射所生三分益一管率長六寸七分○新校正云
按鄭康成云大寸萬九千六百八十三分寸之萬二千九百七十四○仲夏之月律中蕤賓應鍾所生三分益
一管率長大寸三分○新校正云按鄭康成云大寸八十一分寸之二十六○季夏之月律中林鍾黃鍾所生
三分減一管率長大寸凡是三管皆火氣應之其數七火生數二成數七尚書洪範曰二曰火其
臭焦凡氣因火變則為焦中央黃色入通於脾開竅於口藏精於
脾土精之氣其神意脾為化穀口上迎糧故開竅於口故病在舌本脾脉上連於舌本故病氣
居之其味甘其類土性安靜而化造其畜牛土王四季故畜取丑牛又以牛色黃也
其穀稷色黃而味甘也其應四時上為鎮星土之精氣上為鎮星二十八年一周
天是以知病之在肉也土之柔厚類肉氣故其音宮宮土聲也律書以黃鍾為

濁宮林鍾為清宮蓋以林鍾當大月管五音以宮為主律呂相起於黃鍾為濁宮林鍾為商宮也其數五土數五尚書洪範曰五曰土其臭香凡氣因土變則為香西方白色入通於肺開竅於鼻藏精於肺金精之氣其神魄肺藏氣鼻通息故開竅於鼻故病在背以肺在胸中背為胸中之府也其味辛其類金性音聲而堅勁其畜馬畜馬者取乾也易曰乾為馬○新校正云按五常政大論云其畜雞其穀稻稻堅白其應四時上為太白星金之精氣上為太白星三百六十五日一周天是以知病之在皮毛也金之堅密類皮毛也其音商商金聲也孟秋之月律中夷則大呂所生三分減一管率長五寸七分仲秋之月律中南呂大蔟所生三分減一管率長五寸三分季秋之月律中無射夾鐘所生三分減一管率長五寸凡是三管皆全氣應之其數九金生數四成數九尚書洪範曰四曰金其臭腥凡氣因金變則為腥臊之氣也北方黑色入通於腎開竅於二陰藏精於腎水精之氣其神志腎藏精陰泄注故開竅於二陰也故病在谿谿謂肉之小會也氣穴論曰肉之大會為谷肉之小會為谿其味鹹其類水性潤下而滲灌其畜彘彘豕也其

穀豆豆黑色其應四時上為辰星水之精氣上為辰星三百六十五日一周天
是以知病之在骨也骨主幽暗骨體內藏以類相同故病居骨也其音羽羽水
聲也孟冬之月律中應鍾姑洗所生三分減一管率長四寸七分半仲冬之月律中黃鍾仲呂所生三分益一
管率長九寸季冬之月律中大呂蕤賓所生三分益一管率長八寸四分凡是三管皆水氣應之其數
六水生數一成數六尚書洪範曰一曰水其臭腐凡氣因水變則為腐朽之氣也故善為
脈者謹察五藏六府一逆一從陰陽表裏雌雄之紀藏
之心意合心於精心合精微則深知通變非其人勿教非其真勿
授是謂得道隨其所能而與之是謂傳簡賢故授之道也靈樞經曰明目者可使視色聰耳者可
使聽音捷疾辭語者可使論語徐而安靜手巧而心審諦者可使行鍼艾理血氣而調諸逆順察陰陽而兼諸
方緩節柔筋而心和調者可使導引行氣疾毒言語輕人者可使唾癰呪病爪苦手毒為事善傷者可使按積
抑痺由是則各得其能方乃可行其名乃彰故曰非其人勿教非其真勿授也

○陰陽應象大論篇第五

新校正云按全元起本在第九卷

黄帝曰陰陽者天地之道也
謂變化生成之道也老子曰萬物負陰而抱陽沖氣以為和易繫辭曰一陰一陽之謂道此之謂也
萬物之綱紀
滋生之用也陽與之正氣以生陰為之主持以立故為萬物之綱紀也陰陽離合論曰陽與之正陰為之主則謂此也
變化之父母
異類之用也何者然鷹化為鳩田鼠化為鴽腐草化為螢雀入大水為蛤雉入大水為蜃如此皆異類因變化而成者也
生殺之本始
寒暑之用也萬物假陽氣溫而生因陰氣寒而死故知生殺本始是陰陽之所運為也
神明之府也
府官府言所以生殺變化之多端者何哉以神明居其中也下文曰天地之動靜神明為之綱紀故易繫辭曰陰陽不則之謂神亦謂居其中也○新校正云詳陰陽至神明之府與天元紀大論同詳頗異
治病必求於本
陰陽與萬類生殺變化猶然在於人身同相參合故治病之道必先求之
故積陽為天積陰為地
言陰陽為天地之道者何以此
陰靜陽躁
言應發氣運用之標格也
陽生陰長陽殺陰藏
明前天地生殺之殊用也神農曰天以陽生陰長地以陽殺陰藏○新校正云詳陰長陽殺之義或者疑之按周易八卦布四方之義則可見矣坤者陰也位西南隅時在六月七月之交萬物之所盛長也安謂陰無長之理乾者陽也位戌亥之分時在

九月十月之交萬物之所收殺也非謂陽無殺之[illegible]是明之陰長陽殺之理可見矣此語又見天元紀大論

其說自異矣陽化氣，陰成形。明前萬物滋生之綱紀也寒極生熱，熱極生

寒。明有之天體也寒氣生濁，熱氣生清。言正氣也清氣在下，則生飧

泄；濁氣在上，則生䐜脹。熱氣在下則穀不化故飧泄寒氣在上則氣不散故䐜脹何者

以陰靜而陽躁也昌真切肉脹起也[illegible]此陰陽反作，病之逆從也。反謂反覆作謂

作務反覆作務則病如是故清陽為天，濁陰為地；地氣上為雲，天氣

下為雨；雨出地氣，雲出天氣。陰凝上結則合以成雲陽散下流則注而為雨雨發

雲以施化故言雨出地雲憑氣以交合故言雲出天天地之理且然人身清濁亦如是也故清陽出

上竅，濁陰出下竅；氣本乎天者親上氣本乎地者親下各從其類也上竅謂耳目鼻口下竅

謂前陰後陰清陽發腠理，濁陰走五藏；腠理謂滲泄之門故清陽可以散發五藏

為包藏之所故濁陰可以走之[illegible]所禁反清陽實四支，濁陰歸六府。四支外動故清

陽實之六府內化故濁陰歸之水為陰，火為陽。水寒而靜故為陰火熱而躁故為陽陽為

氣陰為味氣惟散布故陽為之味曰從形故陰為之味歸形形歸氣氣歸精
精歸化形食味故味歸形氣養形故形歸氣精食氣歸精化生精故精歸化故下文曰精食氣
形食味氣化則精生味和則形長故云食之也化生精氣生形精微之液惟血化而
成形質之有資氣行營立故斯二者各奉生乎味傷形氣傷精過其節也精化為氣
氣傷於味精承化養則食氣精若化生則不食氣精血內結鬱為胞胎交胃則五味備然不得入也
女人重身精化百日皆傷於味也陰味出下竅陽氣出上竅味有質故下流於便
寫之竅氣無形故上出於呼吸之門味厚者為陰薄為陰之陽氣厚者為
陽薄為陽之陰陽為氣氣厚者為純陽陰為味味厚者為純陰故味薄者為陰中之陽氣薄者
為陽中之陰味厚則泄薄則通氣薄則發泄厚則發熱陰氣潤下
故味厚則泄利陽氣炎上故氣厚則發熱味薄為陰少故通泄氣薄為陽少故汗出發泄謂汗出也壯火
之氣衰少火之氣壯火之壯者壯已必衰大之少者少已則壯壯火食氣氣
食少火壯火散氣少火生氣氣生壯火故云壯火食氣少火滋氣故云氣食少火

氣以火食氣故氣得壯火則耗散以少火益故氣得少火則生長人之陽氣壯少亦然氣味辛甘
發散為陽酸苦涌泄為陰非唯氣味分正陰陽然辛甘酸苦之中復有正陰陽之殊氣
爾何者辛散甘緩故發散為陽酸收苦泄故涌泄為陰之也陰勝則陽病陽勝則陰
病勝則不病不勝則病陽勝則熱陰勝則寒是則大過而致也○新校正云按甲乙經
作陰病則熱陽病則寒文異意同重寒則熱重熱則寒物極則反亦猶壯火之氣衰少
火之氣壯也寒傷形熱傷氣寒則衛氣不利故傷形熱則榮氣內消故傷氣雖陰成形陽化
氣一過其節則形氣被傷氣傷痛形傷腫氣傷則熱結於肉分故痛形傷則寒薄於皮腠故腫
故先痛而後腫者氣傷形也先腫而後痛者形傷氣也
先氣證而病形故曰氣傷形先形證而病氣故曰形傷氣風勝則動風勝則庶物皆搖故為動○新
校正云按左傳曰風淫末疾即此義也熱勝則腫熱勝則陽氣內鬱故洪腫暴作甚則榮氣逆於
肉理聚為癰膿之腫燥勝則乾燥勝則津液竭涸故皮膚乾燥寒勝則浮寒勝則陰氣結
於玄府玄府閉密陽氣內攻故為浮濕勝則濡寫濕勝則內攻於脾胃脾胃受濕則水穀不分水

穀相和故大腸傳道而注寫也以濕內盛而寫故謂之濡寫○新校正按左傳曰雨淫腹疾則其義也風勝則動至此五句與六元正紀大論文重彼注頗詳

天有四時五行以長生收藏以生寒暑燥濕風

春生夏長秋收冬藏謂四時之生長收藏冬水寒夏火暑秋金燥春木風長夏土濕謂五行之寒暑濕燥風也然四時之氣土雖寄王原其所主則濕屬中央故云五行以生寒暑燥濕風五氣也

人有五藏化五氣以生喜怒悲憂恐

五藏謂肝心脾肺腎五氣謂喜怒悲憂恐然之五氣更傷五藏之和氣矣○新校正云按天元紀大論悲作思又本篇下文肝在志為怒心在志為喜脾在志為思肺在志為憂腎在志為恐玉機眞藏論作悲諸論不同皇甫士安甲乙經精神五藏篇具有其義蓋言悲者以悲能勝怒取五志迭相勝而為言也舉思者以思為脾之志也各舉一則義俱不足兩見之則互相成義也

故喜怒傷氣寒暑傷形

喜怒之所生皆生於氣故云喜怒傷氣寒暑之所勝皆勝於形故云寒暑傷形近取諸身則如斯矣細而言者則熱傷於氣寒傷於形

暴怒傷陰暴喜傷陽

怒則氣上喜則氣下故暴卒氣上則傷陰暴卒氣下則傷陽

厥氣上行滿脈去形

厥氣逆也逆氣上行滿於經絡則神氣浮越去離形骸也

喜怒不節寒暑

謂度生乃不固靈樞經曰智者之養生也必順四時而適寒暑和喜怒而安居處然喜怒不常寒暑過度天眞之氣何可久長故重陰必陽重陽必陰言傷寒傷暑亦如是故曰冬傷於寒春必病溫夫傷於四時之氣皆能爲病以傷寒爲毒者最爲殺厲之氣中而即病故曰傷寒不即病者寒毒藏於肌膚至春變爲溫病至夏變爲暑病故養生者必愼傷於邪也春傷於風夏生飧泄風中於表則內應於肝肝氣乘脾故飧泄○新校正云按生氣通天論云春傷於風邪氣留連乃爲洞泄夏傷於暑秋必痎瘧夏暑已甚秋熱復收兩熱相攻故爲痎瘧痎瘦也秋傷於濕冬生欬嗽秋濕既多冬水復王水濕相得肺氣又衰故冬寒甚則爲欬○新校正云按生氣通天論云秋傷於濕上逆而欬發爲痿厥帝曰余聞上古聖人論理人形列別藏府端絡經脈會通六合各從其經氣穴所發各有處名谿谷屬骨皆有所起分部逆從各有條理四時陰陽盡有經紀外內之應皆有表裏其信然乎六合謂十二經脈之合也靈樞經曰太陰陽明爲一合少陰太陽爲一合厥陰少陽爲一合手足之脈各

三則為六合也手厥陰則心包絡脈也氣穴論曰肉之大會為谷肉之小會為谿肉分之間谿谷之會以行榮衛以會大氣屬骨者為骨相連屬處表裏者諸陽經脈皆為長諸陰經脈皆為裏〇新校正云詳帝曰至信其然乎全元起本及太素在上古聖人之教也上

岐伯對曰東方生風陽氣上騰散為風也風者天之號令風為教始故生自東方風生木風鼓木榮則風生木也木生酸凡物之味酸者皆木氣之所生也尚書洪範曰曲直作酸酸生肝生謂生長也凡味之酸者皆先生長於肝肝生筋肝之精氣生養筋也筋生心陰陽書曰木生火然肝之木氣內養筋已乃生心火肝主目目見曰明類齊同也其在天為玄玄謂玄冥言天色高遠尚未盛明也在人為道道謂道化以道而化人則歸從在地為化化謂造化也庶類時育皆造化者也化生五味萬物生五味具皆變化為母而使生成也道生智智從正化而有故曰道生智玄生神玄冥之內神處其中故曰玄生神神在天為風飛揚鼓坼風之用也然發而周遠無所不通信乎神化而能尒在地為木柔軟曲直木之性也〇新校正云詳其在天至為木與天元紀大論同註頗異在體為筋束絡連緩而為力也在藏為肝其神魂也道經義曰魂居肝魂靜則至道不亂

在色為蒼蒼謂薄青色象木色也在音為角角謂木音調而直也樂記曰角亂則憂其民怨在聲為呼呼謂叫呼亦謂之嘯在變動為握握所以牽就也〇新校正云按楊上善云握憂噦欬慄五者改志而有名曰變動也在竅為目目所以司見形色在味為酸酸可用收斂也在志為怒怒所以禁非也怒傷肝雖志為怒甚則自傷悲勝怒悲則肺金并於肝木故勝怒也宣明五藏氣篇曰精氣并於肺則悲〇新校正云詳五志云怒喜思憂恐悲當云憂今變憂為悲者蓋以恚憂而不解則傷意悲哀而動中則傷魂故不云憂也風傷筋風勝則筋絡拘急〇新校正云按五運行大論曰風傷肝燥勝風燥為金氣故勝木風酸傷筋過節也辛勝酸辛金味故勝木酸南方生熱陽氣炎燥故生熱熱生火鑽燧改火惟熱是生火生苦生物之味苦者皆火氣之所心也尚書洪範曰炎上作苦苦生心凡味之苦者皆先生長於心心生血心之精氣生養血也血生脾陰陽書曰火生土然心火之氣內養血已乃生脾土〇新校正云按大素血作脉心主舌心別是非舌以言事故主舌其在天為熱暄暑熾燠氣之用也在地為火炎上翕赩火之性也〔赩〕許極反在體為脈通行榮衛而養

血也在藏為心其神神也道無義曰神虛心神守則血氣流通在色為赤象火也在
音為徵徵謂火音和而美也樂記曰徵亂則哀其事勤在聲為笑笑喜聲也在變動
為憂憂可以成務○新校正云按楊上善云心之憂在心變動肺之憂在肺之志是則肺主於秋憂為正
也而心主於夏變而生憂也在竅為舌舌所以司辨五味也金匱真言論曰南方赤色入通於心
開竅於耳尋其為竅則舌義便乘以其主味故云舌也在味為苦苦可用燥泄也在志為
喜喜所以和樂也喜傷心雖志為喜甚則自傷恐勝喜恐則腎水并於心火故勝喜也宣明
五氣篇曰精氣并於腎則恐熱傷氣熱勝則喘息促急寒勝熱寒為水氣故勝火熱苦
傷氣以火生也○新校正云詳此篇論所傷之旨其例有三東方云風傷筋酸傷筋中央云濕傷肉甘傷
肉是自傷者也南方云熱傷氣苦傷氣北方云寒傷血鹹傷血是傷己所勝西方云熱傷皮毛是被勝傷己辛
傷皮毛是自傷者也凡此五方所傷有此三例不同太素則俱云自傷鹹勝苦鹹水味故勝火苦
中央生濕陽氣盛薄陰氣固升升薄相合故生濕也易義曰陽上薄陰陰能固之然後蒸而為雨明
濕生於固陰之氣也○新校正云按楊上善云六月四陽二陰合蒸以生濕氣也濕生土土濕則固

明濕生也○新校正云按楊上善云四陽二陰合而為濕蒸腐萬物成土也土生甘凡物之味甘皆皆土氣之所生也尚書洪範曰稼穡作甘甘生脾凡味之甘者皆先生長於脾脾生肉脾之精氣生養肉也肉生肺陰陽書曰土生金然脾土之氣內養肉已乃生肺金脾主口脾受水穀口納五味故主口其在天為濕霧露雲雨濕之用也在地為土安靜稼穡土之德也在體為肉覆裹筋骨充其形也在藏為脾其神意也道經義曰意託脾意寧則智無散越在色為黃象土色在音為宮宮謂土音大而和也樂記曰宮亂則荒其君驕在聲為歌歌歎聲也在變動為噦噦謂噦噫胃寒所生○新校正云詳王謂噦為噦噫噦非噦也按楊上善云噦氣忤也噦乙劣反噫烏界反在竅為口口所以司納水穀在味為甘甘可用寬緩也在志為思思所以知遠也思傷脾雖志為思甚則自傷怒勝思怒則不思勝可知矣濕傷肉脾主肉而惡濕故濕勝則肉傷風勝濕風為木氣故勝土濕甘傷肉亦過節也○新校正云按三運行大論云甘傷脾酸勝甘酸木味故勝土甘西方生燥天氣急切故生燥燥生金金燥有聲則生金也金生辛凡物之味辛者皆金氣之所生

也商書洪範曰從革作辛辛生肺凡味之辛者皆先生長於肺肺生皮毛肺之精氣生養
皮毛皮毛生腎陰陽書曰金生水然肺金之氣養皮毛已乃生腎水肺主鼻肺藏氣鼻通息
故主鼻其在天為燥輕急勁強燥之用也在地為金堅勁從革金之性也在体
為皮毛包藏膚腠捍其邪也在藏為肺其神魄也道經義曰魄在肺魄安則德修壽延在
色為白象金色在音為商商謂金声輕而勁也樂記曰商亂則陂其官壞在聲為
哭哭哀聲也在變動為欬欬謂欬嗽所以利咽喉也在竅為鼻鼻所以司嗅呼吸
在味為辛辛可用散潤也在志為憂憂深慮也憂傷肺雖志為憂過則損也喜
勝憂喜則心火并於肺金故勝憂也宣明五氣篇曰精氣并於心則喜熱傷皮毛熱從火生
耗津液故寒勝熱陰制陽也○新校正云按大素作燥傷皮毛熱勝燥又按王注五運行大論云火有
二別故此再舉熱傷之形證辛傷皮毛過而招損苦勝辛苦火味勝金辛故北方
生寒陰氣凝冽故生寒也寒生水寒氣盛凝變為水水生鹹凡物之味鹹者皆水氣之
所生也尚書洪範曰潤下作鹹鹹生腎凡味之鹹者皆先生長於腎腎生骨髓腎之精氣

（生養骨髓）髓生肝（陰陽書曰水生木然腎水之氣養骨髓已乃生肝木）腎主耳（腎屬北方位居幽暗聲入故主耳）其在天為寒（凝清慘冽寒之用也）在地為水（清潔潤下水之用也）在體為骨（端直貞幹以立身也）在藏為腎（其神志也道經義曰志藏腎志營則骨髓滿實）在色為黑（象水色）在音為羽（羽謂水音沉而深也樂記曰羽亂則危其財匱）在聲為呻（呻吟聲也）在變動為慄（慄謂戰慄甚寒大恐而悉有之）在竅為耳（耳所以司聽五音○新校正云按金匱真言論云開竅於二陰蓋以心寄竅於耳故與此論不同）在味為鹹（鹹可用柔耎也）在志為恐（恐所以懼惡也）恐傷腎（恐而不已則內感於腎故傷也靈樞經曰恐懼而不解則傷精明感腎也）思勝恐（思深慮遠則見事源故勝恐也）寒傷血（寒則血凝傷可知也○新校正云按太素血作骨）燥勝寒（燥從熱生故勝寒也○新校正云按大素燥作濕）鹹傷血（食鹹而渴傷血可知○新校正云按大素血作骨）甘勝鹹（甘土味故勝水鹹○新校正云詳自前歧伯對曰至此與五運行論同兩注頗異當並用之）故曰天地者萬物之上下也（觀其覆載而萬物之上下可知矣）陰陽者血氣之男女也（陰主血陽主氣陰生

女陽生男左右者陰陽之道路也陰陽間氣左右循環故左右為陰陽之道路也○新
校正云詳間氣之說具六微旨大論中楊上善云陰氣右行陽氣左行謂此也水火者陰陽之
徵兆也觀水火之氣則陰陽徵兆可明矣陰陽者萬物之能始也謂能為變
化生成之元始○新校正云詳天地者至萬物之能始與天元紀大論同注頗異彼無陰陽者血氣之男女一
句又以金木者生成之終始代陰陽者萬物之能始故曰陰在內陽之守也陽在
外陰之使也陰靜故為陽之鎮守陽動故為陰之役使帝曰法陰陽奈何岐
伯曰陽勝則身熱腠理閉喘麤為之俛仰汗不出而熱
齒乾以煩冤腹滿死能冬不能夏陽勝故能冬熱甚不能夏[能]奴代反
能夏形能並同上陰勝則身寒汗出身常清數慄而寒寒則厥
厥則腹滿死厥謂氣逆能夏不能冬陰勝故能夏寒甚故不能冬此陰陽
更勝之變病之形能也帝曰調此二者奈何調謂順天癸性而治
身之血氣精氣也岐伯曰能知七損八益則二者可調不知用

此則早衰之節也用謂房色也女子以七七為天癸之終丈夫以八八為天癸之極然知八
可益知七可損則各隨氣分修養天真終其天年以度百歲上古天真論曰女子二七天癸至月事以時下丈
夫二八天癸至精氣溢寫然陰七可損則海滿而血自下陽八宜益交會而泄精由此則七損八益理可知矣
年四十而陰氣自半也起居衰矣內耗故陰減中乾故氣力始衰靈樞經曰
人年四十腠理始疎榮華稍落髮斑白由此之節言之亦起居衰之次也年五十體重耳目
不聰明矣衰之漸也年六十陰痿氣大衰九竅不利下虛上
實涕泣俱出矣衰之甚矣故曰知之則強不知則老知謂知七損八
益全形保性之道也故同出而名異耳同謂同於好欲異謂異其老壯之名智者察
同愚者察異智者察同欲之間而能性道愚者見形容別異方乃効之自性則道益有餘放効則
治生不足故下文曰[illegible]如兩反愚者不足智者有餘先行故有餘後學故不足有餘
則耳目聰明身體輕強老者復壯壯者益治夫保性至形蓋由知
道之所致也故曰道者不可斯須離可離非道此之謂也是以聖人為無為之事樂

恬憺之能從欲快志於虛無之守故壽命無窮與天地
終此聖人之治身也 聖人不為無益以害有益不為害性而順性故壽命長遠與天地終
庚桑楚曰聖人之於聲色滋味也利於性則取之害於性則損之此全性之道也書曰不作無益害有益也
天不足西北故西北方陰也而人右耳目不如左明也
在上故法天 地不滿東南故東南方陽也而人左手足不如
右強也 在下故法地 帝曰何以然岐伯曰東方陽也陽者其
精并於上并於上則上明而下虛故使耳目聰明而手
足不便也西方陰也陰者其精并於下并於下則下盛
而上虛故其耳目不聰明而手足便也故俱感於邪其
在上則右甚在下則左甚此天地陰陽所不能全也故
邪居之 夫陰陽之應天地猶水之在器也器圓則水圓器曲則水曲人之血氣亦如是故隨不足則邪
氣留居之 并去聲 故天有精地有形天有八紀地有五里 陽為天降

降氣以施化陰為地布和氣以成形五行為生育之井里八風為變化之綱紀八紀為八歲之紀五里謂五行化育之里故能為萬物之父母陽天化氣陰地成形五里運行八風鼓拆收藏生長無替時宜夫如是故能為萬物變化之父母也清陽上天濁陰歸地所以能為萬物之父母者何以有是之升降也是故天地之動靜神明為之綱紀清陽上天濁陰歸地然其動靜誰所主司蓋由神明之綱紀尒上文曰神明之府此之謂也故能以生長收藏終而復始神明之運為乃能如是惟賢人上配天以養頭下象地以養是中傍人事以養五藏頭圓故配天足方故象地人事更易五藏遞遷故從而養也天氣通於肺居高故地氣通於嗌次下故伊呂互風氣通於肝風生木故雷氣通於心雷象火之有聲故谷氣通於脾谷空虛脾受納故雨氣通於腎腎主水故○新校正云按千金方云風氣應於肝雷氣動於心穀氣感於脾雨氣潤於腎六經為川流注不息故腸胃為海以皆受納也靈樞經曰胃為水穀之海九竅為水注之氣清明者象水之內明流注者象水之流生以天地為之陰

陽以人事配象則近指天也以爲陰陽陽之汗以天地之雨名之夫人汗泄於皮腠者是陽氣之發泄尒然其取類於天地之間則雲騰雨降而相似也故曰陽之汗以天地之雨名之陽之氣以天地之疾風名之陽氣散發疾風飛揚故以應之舊經無名之二字尋前類例故加之暴風象雷暴風鼓擊轉有聲故象逆氣象陽逆氣變上陽氣亦然故治不法天之紀不用地之理則災害至矣昔天之紀違[illegible]之理則六經反作五氣更傷真氣既傷則災害之至可知矣○新校正云按上文天有八紀地有五里此文中理字當作里故邪風之至疾如風雨至謂至於身形故善治者治皮毛止於萌也其次治肌膚救其已生其次治筋脈攻其已病其次治六府治其已甚其次治五藏治五藏者半死半生也治其已成神農曰病勢已成可得半愈然初成者獲愈固久者伐形故治五藏者半生半死也故天之邪氣感則害人五藏四時之氣八正之風皆天邪也金匱真言論曰八風發邪以爲經風觸五藏邪氣發病故天之邪氣感則害人五藏水穀之寒熱感則害於六府熱傷胃及膀胱寒傷腸及膽氣地之

濕氣感則害皮肉筋脈濕氣勝則營衛之脈不行故感則害於皮肉筋脈故善
用鍼者從陰引陽從陽引陰以右治左以左治右以我
知彼以表知裏以觀過與不及之理見微則過用之不
殆深明故也善診者察色按脈先別陰陽別於陽者則知病處別於陰者則知
死生之期審清濁而知部分謂察色之青赤黃白黑也部分謂藏府之位可占候也視喘
息聽音聲而知所苦謂聽聲之宮商角徵羽也視喘息謂候呼吸之長短也觀權
衡規矩而知病所主權謂秤權衡謂星衡規謂圓形矩謂方象然權也者所以察中外衡
也者所以定高卑規也者所以表柔虛矩也者所以明強盛脈要精微論曰以春應中規言陽氣柔軟以夏應
中矩言陽氣盛強以秋應中衡言陰升陽降氣有高下以冬應中權言陽氣居下也故善診之用必備見焉所
主者謂應四時之氣所主生病之在高下中外也按尺寸觀浮沉滑濇而知病
所生以治浮沉滑濇皆脈象也浮脈者浮於手下也沉脈者按之乃得也滑脈者往來易濇脈者往
來難故審尺寸觀浮沉而知病之所生以治之也○新校正云按甲乙經作知病所在以治則無過下無過二

字衍此字句〔音〕音色無過以診則不失矣者過無過皆以診之則所主治無誤失也故
曰病之始起也可刺而已以輕微也其盛可待衰而已病盛取之
毀傷真氣故其盛者必可待衰故因其輕而揚之輕者發揚則邪去因其重而
減之重者即減去之因其衰而彰之因病氣衰攻令邪去則真氣堅固血色彰明形
不足者溫之以氣精不足者補之以味氣謂衛氣味謂五藏之味也靈
樞經曰衛氣者所以溫分肉而充皮膚肥腠理而司開闔故衛氣溫則形分足矣上古天真論曰腎者主水受
五藏六府之精而藏之故五藏盛乃能寫由此則精不足者補五藏之味也其高者因而越
之越謂越揚也其下者引而竭之引謂泄引也中滿者寫之於內
內謂腹內其有邪者漬形以為汗邪謂風邪之氣風中於表則汗而發之〔漬〕疾賜反
其在皮者汗而發之在外故汗發泄也其慓悍者按而收之慓疾
也悍利也氣候疾利則按之以收斂也〔慓〕必遙反〔悍〕音汗其實者散而寫之陽實則發散陰
實則宣寫故下文云審其陰陽以別柔剛陰曰柔陽曰剛陽病治陰陰病

治陽（所謂從陰引陽從陽引陰以右治左以左治右者也）定其血氣各守其鄉（鄉謂本經之氣位）血實宜決之（決謂決破其血）氣虛宜掣引之（掣讀為導導引則氣行條暢○新校正云按甲乙經掣作挈）

○陰陽離合論篇第六（新校正云按全元起本在第三卷）

黃帝問曰余聞天為陽地為陰日為陽月為陰大小月三百六十日成一歲人亦應之（以四時五行運用於內故人亦應之○新校正云詳天為陽至成一歲與六節藏象篇重）今三陰三陽不應陰陽其故何也

岐伯對曰陰陽者數之可十推之可百數之可千推之可萬萬之大不可勝數然其要一也（一謂離合也雖不可勝數然其要妙以離合推步悉可知之）天覆地載萬物方生未出地者命曰陰處名曰陰中之陰（處陰之中故曰陰處形未動出亦是為陰以陰居陰故曰陰中之陰）則出地者命曰陰中之陽（形動出者是則為陽以陽居陰故曰陰中之陽）陽予之正

陰爲之主陽施正氣萬物方生陰爲主持群形乃立[illegible]音與故生因春長因夏收因秋藏因冬失常則天地四塞春夏爲陽故生長也秋冬爲陰故收藏也君失其常道則春不生夏不長秋不收冬不藏夫如是則四時之氣閉塞陰陽之氣無所運行矣陰陽之變其在人者亦數之可數天地陰陽雖不可勝數在於人形之用者則數可知之帝曰願聞三陰三陽之離合也岐伯曰聖人南面而立前曰廣明後曰大衝廣大也南方丙丁火位主之陽氣盛明故曰大明也嚮明治物故聖人南面而立易曰相見乎離蓋謂此也然在人身中則心藏在南故謂前曰廣明衝脈在北故謂後曰大衝然大衝者腎脈與衝脈合而盛大故曰大衝是以下文曰大衝之地名曰少陰此正明兩脈相合而爲表裏也少陰之上名曰太陽腎藏爲陰膀胱府爲陽陰氣在下陽氣在上此爲一合之經氣也靈樞經曰足少陰之脈者腎脈也起於小指之下斜趨足心又曰足太陽之脈者膀胱脈也循京骨至小指外側由此故少陰之上名太陽也是以下文曰太陽根起於至陰結於命門名曰陰中之陽至陰穴名在足小指外側命門者藏精光照之所則兩目也太

陽之脉起於目而下至於足故根於指端結於目也靈樞經曰命門者目也此與靈樞義合以太陽居少陰之地故曰陰中之陽〇新校正云按素問太陽言根結於經不言結甲乙今具中身而上名曰廣明廣明之下名曰太陰靈樞經曰天為陽地為陰腰以上為天腰以下為地分身之言則中身之上屬於廣明廣明之下屬太陰也又心廣明藏下則太陰脾藏也太陰之前名曰陽明人身之中胃為陽明脉行在脾脉之前脾為太陰脉行於胃脉之後靈樞經曰足太陰之脉者脾脉也起於大指之端循指內側白肉際過核骨後上內踝前廉上腨內循胻骨之後足陽明之脉者胃脉也下膝三寸而別以下入中指外間出此故太陰之前名陽明也是以下文曰腨市兗反陽明根起於厲兌名曰陰中之陽厲兌穴名在足大指次指之端以陽明居太陰之前故曰陰中之陽厥陰之表名曰少陽人身之中膽少陽脉行肝脉之分外肝厥陰脉行膽脉之位內靈樞經曰足厥陰脉者肝脉也表於足太指聚毛之際上循足跗上廉足少陽之脉者膽脉也循足跗上出小指次指之端出此則厥陰之表名少陽也故下文曰跗甫無反少陽根起於竅陰名曰陰中之少陽竅陰穴名在足小指次指之端以少陽居厥陰之表故曰陰中之少陽是故

三陽之離合也太陽為開陽明為闔少陽為樞離謂別離應用合謂配合於陰別離則正位於三陽配合則表裏而為藏府矣開闔樞者言三陽之氣多少不等動用殊也夫開者所以司動靜之基闔者所以執禁固之權樞者所以主動轉之微由斯殊氣之用故此三變之也○新校正云按九墟太陽為開陽明為闔少陽為樞故關折則肉節瀆緩而暴病起矣故候暴病者取之太陽闔折則氣無所止息悸病起故悸者皆取之陽明樞折則骨搖而不能安於地故骨搖者取之少陽甲乙經同三經者不得相失也搏而勿浮命曰一陽三經之至搏擊於手而無輕重之異則正可謂一陽之氣無復有三陽差降之為用也搏音轉帝曰願聞三陰岐伯曰外者為陽內者為陰言三陽為外運之離合三陰為內用之離合也然則中為陰其衝在下名曰太陰衝脈在脾之下故言其衝在下也靈樞經曰衝脈者與足少陰之絡皆起於腎下上行者過於胞中由此則其衝之上太陰位也太陰根起於隱白名曰陰中之陰隱白穴名在足大指端以太陰居陰故曰陰中之陰太陰之後名曰少陰藏位及經脈之次也太陰脾也少陰腎也脾藏下近後則腎之位也靈樞經曰足太陰之脉

大指之端循指內之側及上內踝前廉上腨內循䯒骨後足少陰之脉起於小指下斜趍足心出於然骨之下循內踝後以上腨內由此則太陰之下名少陰也。䯒音行

少陰根起於涌泉名曰陰中之少陰涌泉穴名在足心下踡指宛宛中踡音權

少陰之前名曰厥陰亦藏位及經脉之次也少陰腎也厥陰肝也腎藏之前近上則肝之位也靈樞經曰足少陰脉循內踝之後上踹內廉足厥陰脉循足跗上廉去內踝一寸上踝八寸交出太陰之後上膕內由此故少陰之前名厥陰也

厥陰根起於大敦陰之絕陽名曰陰之絕陰大敦穴名在足大指之端三毛之中也兩陰相合故曰陰之絕陽厥盡也陰氣至此而盡故名曰陰之絕陰

是故三陰之離合也太陰為開厥陰為闔少陰為樞亦氣之不等也○新校正云按九墟云關折則倉廩無所輸膈洞者取之太陰闔折則氣弛而善悲悲者取之厥陰樞折則脉有所結而不通不通者取之少陰甲乙經同

三經者不得相失也搏而勿沉名曰一陰沉言殊見也陽浮亦然若經氣應至無沉浮之異則悉可謂入陰之氣非復有三陰差降之殊用也

陰陽衝䵢積傳為一周氣裏形表而為相成也衝䵢言氣之往來傳

謂積脉之動也傳謂陰陽之氣流傳也夫脉氣往來動而不止積其所動氣血循環應水下二刻而一周於身故曰積傳爲一周也然榮衛之氣因息遊布周流形表拒捍虛邪中外主司互相成立故言氣裏形表而爲相成也○新校正云按別本壁壁作衛衛

○陰陽別論篇第七 新校正云按全元起本在第四卷

黃帝問曰人有四經十二從何謂 經謂經脉從謂順從 岐伯對曰經應四時十二從應十二月十二月應十二脉 春脉弦夏脉洪秋脉浮冬脉沉謂四時之經脉也從謂天氣順行十二辰之分故應十二月也十二月謂春建寅卯辰夏建巳午未秋建申酉戌冬建亥子丑之月也十二脉謂手三陰三陽足三陰三陽之脉也以氣數相應故參合之 脉有陰陽知陽者知陰知陰者知陽 深知則備識其變易 凡陽有五五五二十五陽 五陽謂五藏之陽氣也五藏應時各形一脉一脉之內包總五藏之陽五五相乘故二十五陽也○新校正云按玉機眞藏論云故病有五五五二十五變義與此通 所謂陰者眞藏也見則爲敗敗必死也 五藏爲陰故曰陰者眞藏也然見者謂肝脉至

中外急如循刀刃責責然如按琴瑟絃心脈至堅而搏如循薏苡子累累然肺脈至大而虛如以毛羽中人膚腎脈至搏而絕如以指彈石辟辟然脾脈至弱而乍數乍疎夫如是脈見者皆爲藏敗神去故必死也累力追反

所謂陽者胃脘之陽也胃脘之陽謂人迎之氣也察其氣脈動靜小大與脈口應否也胃爲水穀之海故候其氣而知病處人迎在結喉兩傍脈動應手其脈之動常左小而右大左小常以候藏右大常以候府一云胃胞之陽非也脘音管

別於陽者知病處也別於陰者知死生之期陽者衛外而爲固然外邪所中別於陽則知病處陰者藏神而內守若考真正成敗則別於陰則知病者死生之期○新校正云按玉機真藏論云別於陽者知病從來別於陰者知死生之期

三陽在頭三陰在手所謂一也頭謂人迎手謂氣口兩者相應俱往俱來若引繩小大齊等者名曰平人故言一所謂一也氣口在手魚際之後一寸人迎在結喉兩傍一寸五分皆可以候藏府之氣

別於陽者知病忌時別於陰者知死生之期識氣定期故知病忌審明成敗故知死生之期

謹熟陰陽無與衆謀謹量氣候精熟陰陽病忌之準可知生死之疑自決正行無惑何用衆謀議也

所謂陰陽者去者爲陰至者爲陽

靜者為陰動者為陽遲者為陰數者為陽言脉動之中也凡持眞脉之藏脉者肝至懸絶急十八日死心至懸絶九日死肺至懸絶十二日死腎至懸絶七日死脾至懸絶四日死眞脉之藏脉者謂眞藏之脉也十八日者金木成數之餘也九日者水火生成數之餘也十二日者金火生成數之餘也七日者水土生數之餘也四日者木生數之餘也故平人氣象論曰肝見庚辛死心見壬癸死肺見丙丁死腎見戊己死脾見甲乙死者以此如是者皆至所期不勝而死也何者以不勝剋賊之氣也

曰二陽之病發心脾有不得隱曲女子不月二陽謂陽明大腸及胃之脉也隱曲謂隱蔽委曲之事也夫腸胃發病心脾受之心受之則血不流脾受之則味不化血不流故女子不月味不化則男子少精是以隱蔽委曲之事不能為也陰陽應象大論曰精不足者補之以味由是則味不化而精氣少也奇病論曰胞胎者繫於腎又評熱病論曰月事不來者胞脉閉胞脉者屬於心而絡於胞中今氣上迫肺心氣不得下通故月事不來則其義也又上古天眞論曰女子二七天癸至任脉通大衝脉盛月事以時下丈夫二八天癸至精氣溢瀉由此則在女子為不月在男子為少精其傳為風消其

傳為息賁者死不治言其深久者也胃病深久傳入於脾故為風熱以消削大腸久病甚傳入於肺為喘息而上賁然腸胃脾肺兼及於心三藏二府互相尅薄故死不治【賁】音奔曰三陽為病發寒熱下為癰腫及為痿厥腨痟三陽謂大陽小腸及膀胱之脈也小腸之脈起於手循臂繞肩膊上頭膀胱之脈從頭別下背貫臀入膕中循髀故在上為病則發寒熱在下為病則為癰腫腨痟及為痿厥痟痠疼也痿無力也厥足冷即氣逆也【腨】時兖反【痟】烏兖反【膕】古或反其傳為索澤其傳為頹疝熱甚則精血枯涸故皮膚潤澤之氣皆散盡也然陽氣下墜陰脈上爭上爭則寒多下墜則筋緩故睾垂縱緩內作頹疝【睾】皐曰一陽發病少氣善欬善泄一陽謂少陽膽及三焦之脈也膽氣乘胃故善泄三焦內病故少氣陽上熏肺故善欬何故心火內應而然其傳為心掣其傳為膈膈氣乘心心熱故陽氣內掣三焦內結中熱故膈塞不便【掣】尺制反曳也二陽一陰發病主驚駭背痛善噫善欠名曰風厥一陰謂厥陰心主及肝之脈也心主之脈起於胸中出屬心經云心病膺背肩胛間痛又在氣為噫故背痛善噫心氣不足則腎氣乘之肝主驚駭故驚駭善欠夫肝氣為風腎氣陵逆既風又厥故名風厥二陰

一陽發病善脹心滿善氣二陰謂少陰心腎之脉也腎膀同逆三焦不行氣稸於上故心滿下虛上盛故氣泄出也三陽三陰發病爲偏枯痿易四支不舉三陰不足則發偏枯三陽有餘則爲痿易易謂變易常用而痿弱無力也鼓一陽曰鈎鼓一陰曰毛鼓陽勝急曰弦鼓陽至而絶曰石陰陽相過曰溜言何以知陰陽之病脉邪一陽鼓動脉見鈎也何以然一陽謂三焦心脉之府然一陽鼓動者則鈎脉當之鈎脉則心脉也此言正見者也一陰厥陰肝木氣也毛肺金脉也金來鼓木其脉則毛金氣内乘木陽尚勝急而内見脉則爲弦也若陽氣至而急脉名曰弦屬肝陽氣至而或如斷絶脉名曰石屬腎陰陽之氣相過無能勝負則脉如水之溜也陰爭於内陽擾於外魄汗未藏四逆而起起則熏肺使人喘鳴若金鼓不已陽氣大勝兩氣相持内爭外擾則流汗不止手足反寒甚則陽氣内燔流汗不藏則熱攻於肺故起則熏肺使人喘鳴也陰之所生和本曰和陰謂五神藏也言五藏之所以能生而全天真和氣者以各得自從其和性而安靜爾苟乖所適則爲他氣所乘百端之病由斯而起奉生之道可不慎哉是故剛與剛陽氣破散陰氣乃

消亡剛謂陽也言陽氣內蒸外爲流汗灼而不已則陽勝又陽故盛不久存而陽氣自散陽已破敗陰不獨存故陽氣破散陰氣亦消亡此乃爭勝招敗也

淖則剛柔不和經氣乃絕血淖者陽常勝視人之血淖者宜謹和其義常使流通若不能深思寡欲使氣序乖衰陽爲重陽內燔藏府則死且可待生其能久乎

死陰之屬不過三日而死火乘金也

生陽之屬不過四日而死木乘火也○新校正云按別本作四日而生全元起注作四日而已俱通詳上下文義作死者非

所謂生陽死陰者肝之心謂之生陽母來親子故曰生陽匪惟以木生火亦自陽氣主生尒

心之肺謂之死陰陰主刑殺火復乘金金得火亡故云死

肺之腎謂之重陰亦母子也以俱為陰氣故曰重陰

腎之脾謂之辟陰死不治土氣辟併水乃可升土辟水升故云辟陰

結陽者腫四支以四支爲諸陽之本故

結陰者便血一升陰主血故再結二升三結三升二盛謂之再結三盛謂之三結

陰陽結斜多陰少陽曰石水少腹腫所謂失法

二陽結謂之消二陽結謂胃及大腸俱熱結也腸胃藏熱則喜消水穀○新校正云詳此[illegible]少二陰

結三陽結謂之膈三陽結謂小腸膀胱熱結也小腸結熱則血脉燥膀胱熱則津液涸故膈塞而不便寫三陰結謂之水三陰結謂脾肺之脉俱寒結也脾肺寒結則氣化為水一陰一陽結謂之喉痺一陰謂心主之脉一陽謂三焦之脉也三焦心主脉並絡喉氣熱內結故為塞痺喉音閉陰搏陽別謂之有子陰謂尺中也搏謂搏觸於手也尺脉搏擊與寸口殊別陽氣挺然則為有任之兆何者陰中有別陽故[illegible]去孕陰陽虛腸辟死辟陰也然胃氣不留[illegible][illegible]勿[illegible]陰中不寒是真氣竭絕故死○新校正云按全元起本辟作澼陽加於陰謂之汗陽在下陰在上陽氣上搏陰能固之則蒸而為汗陰虛陽搏謂之崩陰脉不足陽脉盛搏則內崩而血流下三陰俱搏二十日夜半死脾肺成數之餘也搏謂伏鼓異於常候也陰氣盛極故夜半死二陰俱搏十三日夕時死心腎之成數也陰氣未極故死在夕時一陰俱搏十日平旦死肝心生成之數也三陽俱搏且鼓三日死陽氣速急故三陰三陽俱搏心腹滿發盡不得隱曲五日死盡陰氣也隱曲謂便寫也二陽俱搏其氣溫死不治不過

十日死腸胃之生數也○新校正云詳此闕一陽搏

新刊補註釋文黄帝内經素問卷之一

新刊補註釋文黄帝内經素問卷之二

○靈蘭秘典論篇第八

新校正云按全元起本名十二藏相使在第三卷

黄帝問曰願聞十二藏之相使貴賤何如藏藏也言腹中之所藏者非復有十二形神之藏也岐伯對曰悉乎哉問也請遂言之心者君主之官也神明出焉任治於物故為君主之官清靜栖靈故曰神明出焉肺者相傅之官治節出焉位高非君故官為相傅主行營衛故治節由之肝者將軍之官謀慮出焉勇而能斷故曰將軍潛發未萌故謀慮出焉膽者中正之官決斷出焉剛正果決故官為中正直而不疑故決斷出焉膻中者臣使之官喜樂出焉膻中者在胸中兩乳間為氣之海然心主為君以敷宣教令膻中主氣以氣布陰陽氣和志適則喜樂由生分布陰陽故官為臣使也膻徒早反脾胃者倉廩之官五味出焉包容五穀是為倉廩之官營養四傍故云五味出焉廩力稔反大腸者傳道之官變化出焉傳道謂傳不潔之道變化謂變化物之形故云傳道之官變化出焉小腸者受盛之官

化物出焉
承奉胃司受盛糟粕受已復化傳入大腸故云受盛之官化物出焉

腎者作強之官伎巧出焉
強於作用故曰作強造化形容故云伎巧在女則當其伎巧在男則正曰作強

三焦者決瀆之官水道出焉
引導陰陽開通閉塞故官司決瀆水道出焉

膀胱者州都之官津液藏焉氣化則能出矣
位當孤府故謂都官居下內空故藏津液若得氣海之氣施化則溲便注泄氣海之氣不及則閟隱不通故曰氣化則能出矣靈樞經曰腎上連肺故將兩藏膀胱是孤府則此之謂也溲所鳩反小便也

凡此十二官者不得相失也
失則災害至故不得相失◎新校正云詳此乃十一官脾胃二藏共一官故也

故主明則下安以此養生則壽歿世不殆以為天下則大昌
主謂君主心之官也夫主賢明則刑賞一刑賞一則吏奉法吏奉法則民不獲罪於枉濫矣故主明則天下安也夫心內明則銓善惡銓善惡則察安危察安危則身不夭傷於非道矣故以此養生則壽歿世不至於危殆矣然施之於養生歿世不殆施之於君主天下獲安以其為天下主則國祚昌盛矣

主不明則十二官危使道閉塞而不通形乃大傷以此養生則殃以為

下者其宗大危戒之戒之使道謂神氣行使之道也夫心不明則邪正一邪正
一則損益不分損益不分則動之凶咎陷身於羸瘠矣
故形乃大傷以此養生則殃也夫主不明則委於左右
委於左右則權勢妄行權勢妄行則吏不得奉法吏不
得奉法則人民失所而皆受枉曲矣且人惟邦本本固
邦寧本不獲安國將何有宗廟之立安有不至
於傾危乎故曰戒之戒之者言深慎也[瘠]音藉至道在
微變化無窮孰知其原孰誰也言至道之用也小之則微妙而細無不入大之則廣遠
而變化無窮然其
淵源誰所知察窘乎哉消者瞿瞿新校正云按太素作肖者濯濯[瞿]音
劬孰知其要閔閔之當孰者為良窘要也瞿瞿勤勤也人身之要者道也然
以消息異同求諸物理而欲以此知變化之原本者雖
瞿瞿勤勤以求明悟然其要妙誰得知乎既未得知轉
哉深遠閔閔玄妙復不知誰者為善知其要妙哉玄妙
深遠罔不以理求而可得近取諸身則十二官粗可深
乎而為治者之道亦閔閔深遠也良善也○新校正云
詳此曰句與氣交變大論文重意同彼消字作肖字
恍惚之數生於毫氂恍惚者謂似有似無也忽亦數也似無似有而毫氂之數生其中老
子曰恍恍惚惚其中有物此之
謂也算書曰似有似無為忽毫氂之數起於度量千

之萬之可以益大推之大之其形乃制毫氂雖小積而不已命數乘之
則起至於尺度斗量之繩準千之萬之亦可增益而至載之大數推引其大則應通人形之制度也黃帝
曰善哉余聞精光之道大聖之業而宣明大道非齋戒
擇吉日不敢受也深敬故也韓康伯曰洗心曰齋防患曰戒黃帝乃擇吉日
良兆而藏靈蘭之室以傳保焉祕之至也

○六節藏象論篇第九新校正云按全元起注本在第三卷

黃帝問曰余聞天以六六之節以成一歲人以九九制
會新校正云詳下文云地以九九制會計人亦有三百六十五節以為天
地久矣不知其所謂也六六之節謂六竟於六甲之日以成一歲之節限九九制會謂
九竅九藪之數以制人形之會通也言人之三百六十五節以應天之六六之節久矣若復以九九為紀法
則兩歲大半乃曰一周不知其法真原安謂也○新校正云詳王注云兩歲大半乃曰一周按九九制會當云
兩歲四分歲之一乃曰一周也岐伯對曰昭乎哉問也請遂言之夫六

六之節九九制會者所以正天之度氣之數也六六之節天之度也九九制會天之數也所謂氣數者生成之氣也周天之分凡三百六十五度四分度之一以十二節氣均之則氣有三百六十日而終兼之小月日又不足其數矣是以六十四氣而常置閏焉何者以其積差分故也天地之生育本世於陰陽人神之運為始終於九氣然九之為用豈不大哉律書曰黃鍾之律管長九寸冬至之日氣應灰飛由此則萬物之生成因數九氣矣古之九寸為今之七寸三分大小不同以其先秬黍之制而有異也○新校正云按別本三分一作二分天度者所以制日月之行也氣數者所以紀化生之用也制謂準度紀謂綱紀準日月之行度者所以明日月之行遲速也紀化生之為用者所以彰氣至而斯應也氣應無差則生成之理不替遲速以度大小之月生焉故日異長短月移寒暑收藏生長無失時宜也天為陽地為陰日為陽月為陰行有分紀周有道理日行一度月行十三度而有奇焉故大小月三百六十五日而成歲積氣餘而盈閏矣日行遲故晝夜行天之一度而三百六十五日一周天而猶有度之奇分矣月行速故晝夜行天之十三度餘而二十九

日一周天也言有奇者謂十三度外複行十九分度之七故云月行十三度而有奇也禮義及漢律曆志云二十八宿及諸星皆從東而循天西行日月及五星皆從西而循天東行今太史説云並循天而東行從東而西轉也諸曆家説月一日至四日月行最疾日夜行十四度餘自五日至八日行次疾日夜行十三度餘自九日至十九日其行遲日夜行十二度餘二十日至二十三日又小疾日夜行十三度餘二十四日至晦日行又大疾日夜行十四度餘今太史説月行之率不如此矣月行有十五日前疾有十五日後遲者有十五日前遲有十五日後疾者大率一月四分之而皆有遲疾遲速之度固無常準矣雖尒終以二十七日月行一周天凡行三百六十一度二十九日日行二十九度月行三百八十七度少一度而不及日也至三十日日復遲計率至十三分日之八月方及日矣此大盡之月也大率其計率至十三分月之半者盡大盡法也其計盡至十三分日之五之六而及日者小盡之月也故云大小月三百六十五日有成歲也正言之者三百六十五日四分日之一乃一歲法以奇不成日故舉六以言之若通以六小為法則歲止有三百五十四日歲少十一日餘矣取月所少之辰加歲外餘之日故從閏後三十二日而盈閏焉尚書曰朞三百有六旬有六日以閏月定四時成歲則其義也積餘盈閏者盡以月之大小不盡之度故也

立端於始表正於中推

餘於終而天度畢矣（端首也始初也表彰示也正斗建也中月半也推退位也言立首氣於初節之日示斗建於月半之辰退餘閏於相望之後是以閏之前則氣不及月閏之後則月不及氣故常月之制建初立中閏月之紀無初無中縱曆有之皆他節氣也故曆無云其候閏某月節閏某月中也推終之義斷可知乎故曰立端於始表正於中推餘於終也由斯推日成閏故能令天度畢焉）帝曰余已聞天度矣願聞氣數何以合之岐伯曰天以六六為節地以九九制會（新校正云詳篇首云人以九九制會）天有十日日六竟而周甲甲六復而終歲三百六十日法也（十日謂甲乙丙丁戊己庚辛壬癸之日也十者天地之至數也易繫辭曰天九地十則其義也六十日而周甲子之數甲子六周而復始則終一歲之日是三百六十日之歲法非天度之數也此蓋十二月各三十日者若除小月其日又差也）夫自古通天者生之本本於陰陽其氣九州九竅皆通乎天氣（通天謂元氣即天真也然形假地生命惟天賦故奉生之氣通繫於天稟於陰陽而為根本也寶命全形論曰人生於地懸命於天天地合氣命之曰人四氣調神大論曰陰陽四時者萬物之終始也死生之本也又曰逆

其根則伐其本壞其真矣此其義也九州謂冀兗青徐揚荆豫梁雍也然地列九州人施九竅精神往復氣與參同故曰九州九竅也靈樞經曰地有九州人有九竅則其義也先言其氣者謂天真之氣常繫屬於中也天氣不絕真靈內屬行藏動靜悉與天通故曰皆通乎天氣也

故其生五其氣三

形之所存假五行而運用徵其本始從三氣以生成故云其生五其氣三也氣之三者亦副三元故下文曰○新校正云詳夫自古通天者至此與生氣通天論同注頗異當兩存之

三而成天三而成地三而成人

非惟人獨由三氣以生天地之道亦如是矣故易乾坤諸卦皆必三矣

三而三之合則為九九分為九野九野為九藏

九野者應九藏而為義也爾雅曰邑外為郊郊外為甸甸外為牧牧外為林林外為坰坰外為野則此之謂也○新校正云按今爾雅云邑外謂之郊郊外謂之牧牧外謂之野野外謂之林林外謂之坰與王氏所引有異

故形藏四神藏五合為九藏以應之也

形藏四者一頭角二耳目三口齒四胷中也形分於外故以名焉神藏五者一肝二心三脾四肺五腎也神藏於內故以名焉所謂神藏者肝藏魂心藏神脾藏意肺藏魄腎藏志也故此二別爾○新校正云詳此乃宣明五氣篇文與生氣通天注重又與三部九候論注重所以名神藏形

[illegible]之說具三[illegible]九候論注

帝曰：余已聞六六九九之會也，夫子言積氣盈閏，願聞何謂氣？請夫子發蒙解惑焉。請宣揚旨要啓所未聞解疑惑者之心開蒙昧者之耳令其曉達咸使深明

岐伯曰：此上帝所祕，先師傳之也。上帝謂上古帝君也先師岐伯祖之師僦貸季上古之理色脉者也移精變氣論曰上古使僦貸季理色脉而通神明八素經序云天師對黃帝曰我於僦貸季理色脉已三世矣言可知乎○新校正云詳素作素或以八為大按今太素無此文遂即就反

帝曰：請遂聞之也。遂盡

岐伯曰：五日謂之候，三候謂之氣，六氣謂之時，四時謂之歲，而各從其主治焉。日行天之五度則五日也三候正十五日也六氣凡九十日正三月也設其多之矣故十八候為六氣六氣謂之時也四時凡三百六十日故日四時謂之歲也各從主治謂一歲之日各歸從五行之一氣而為之主以王也故下文曰

五運相襲而皆治之，終期之日，周而復始，時立氣布，如環無端，候亦同法。故曰：不知年之所加，氣之盛衰，虛實之所起，不可以為工矣。五運謂五行之氣應

天之運而主化者也襲謂承襲如嫡之承襲也言五行之氣父子相承主統一周之日常如是無已周而復始於

也時謂立春之前當至時也氣謂當主之脈氣也春前氣至脈氣亦至故曰時立氣布也候謂日行五度之候

也言一候之日亦五氣相生而直之差則病矣移精變氣論曰上古使僦貸季理色脈而通神明合之金木水

火土四時八風六合不離其常此之謂也工謂工於脩養者也言必明於此乃可橫行天下矣〇新校正云詳

王註時立氣布謂立春前當至時當王之脈氣也按此正謂歲立四時時布六氣如環之無端故又曰候亦同

法帝曰五運之始如環無端其太過不及何如岐伯曰

五氣更立各有所勝盛虛之變此其常也言盛虛之變見此乃天之

常道尒帝曰平氣何如岐伯曰無過者也不愆常候則無過也帝曰

太過不及奈何岐伯曰在經有也言玉機真藏論篇具言五氣平和大過不

及之旨也〇新校正云詳王注言玉機真藏論已具按本篇言脉之大過不及即不論運氣之大過不及與平

氣當云氣交變大論五常政大論篇已具言也帝曰何謂所勝岐伯曰春勝[illegible]

夏長夏勝冬冬勝夏夏勝秋秋勝春所謂得五行[illegible]之

勝各以氣命其藏春應木木勝土長夏應土土勝水冬應水水勝火夏應火火勝金秋應金
金勝木常如是矣四時之中加之長夏故謂得五行時之勝也所謂長夏者六月也土生於火長在夏中既長
而王故云長夏也以氣命藏者春之木內合肝長夏土內合脾冬之水內合腎夏之火內合心秋之金內合肺
故曰[illegible]以氣命其藏[illegible]命名也帝曰何以知其勝岐伯曰求其至也皆
歸始春始春謂立春之日也春為四時之長故候氣皆歸於立春前之日也未至而至此
謂太過則薄所不勝而乘所勝也命曰氣淫不分邪僻
內生工不能禁此上十字文義不倫應古文書錯簡次後五治下乃其義也今朱書之至而
不至此謂不及則所勝妄行而所生受病所不勝薄之
也命曰氣迫所謂求其至者氣至之時也謂凡氣之至皆立春前十
五日乃候之初也未至而至謂所直之氣未應至而先期至也先期而至是氣有餘故曰太過至而不至謂所
直之氣應至不至而後期至後期而至是氣不足故曰不及太過則薄所不勝而乘所勝不及則所勝妄行而
所生受病所不勝薄之者凡五行之氣我剋者為所勝剋我者為所不勝生我者為所生假令肝木有餘是肺

金不足金不勝木故木太過木氣既餘則反薄肺金而來於脾土矣故曰太過則薄所不勝而乘所勝也此皆
五藏之氣內相淫并為疾故命曰氣淫也餘太過例同之又如肝木氣少不能制土土氣無畏而遂妄行水被
土凌故云所勝妄行而所生受病也肝木之氣不平肺金之氣自薄故曰所不勝薄之然木氣不平土金交薄
相迫為疾故曰氣迫其餘不及例皆同謹候其時氣可與期失時反候五
治不分邪僻內生工不能禁也時謂氣至時也候其年則始於立春之日候其
氣則始於四氣定期候其日則隨於候日故曰謹候其時氣可與期也反謂反背也五治謂五行所治主統一
歲之氣也然不分五治謬引八邪天真氣運尚未該通人病之由安能精達故曰工不能禁也帝曰有
不襲乎言五行之氣有不相承襲者乎岐伯曰蒼天之氣不得無常也
氣之不襲是謂非常非常則變矣變謂變易天常也帝曰非常
而變奈何岐伯曰變至則病所勝則微所不勝則甚因
而重感於邪則死矣故非其時則微當其時則甚也言蒼
天布氣尚不越於五行人在氣中豈不應於天道夫人之氣亂不順天常故有病死之徵矣左傳曰違天不祥

此其類也假令木直之年有火氣至後二歲病矣土氣至後三歲病矣金氣至後四歲病矣水氣至後五歲病矣真氣不足復重感邪真氣內微故重感於邪則死也假令非王直年而氣相干者且為微病不必內傷於神藏故非其時則微而且持也若當所直之歲則易中邪氣故當其直時則病疾甚也諸氣當其王者皆必受邪故云非其時則微當其時則甚也通評虛實論曰非其時則生當其時則死當謂正直之年也帝曰善余聞氣合而有形因變以正名天地之運陰陽之化其於萬物孰少孰多可得聞乎新校正云詳從前岐伯曰昭乎哉問也至此全元起註本及太素並無疑王氏之所補也岐伯曰悉乎哉問也天至廣不可度地至大不可量大神靈問請陳其方言天地廣大不可度量而得之造化玄微豈可以人心而遍悉大神靈問讚聖深明舉大識凡粗言綱紀故曰請陳其方草生五色五色之變不可勝視草生五味五味之美不可勝極言物生之眾禀化各殊目視口味尚無能盡之況於人心乃能包括耶嗜欲不同各有所通言色味之眾雖不可遍盡所由然人所嗜所欲則自隨己心之所愛耳故曰嗜欲不同各有所通天食人

以五氣地食人以五味天以五氣食人者臊氣湊肝焦氣湊心香氣湊脾腥氣湊肺腐
氣湊腎也地以五味食人者酸味入肝苦味入心甘味入脾辛味入肺鹹味入腎也清陽化氣而上為天濁陰
成味而下為地故天食人以氣地食人以味也陰陽應象大論曰清陽為天濁陰為地又曰陽為氣陰為味
五氣入鼻藏於心肺上使五色脩明音聲能彰五味入
口藏於腸胃味有所藏以養五氣氣和而生津液相成
神乃自生心榮面色肺主音聲故氣藏於心肺上使五色脩潔分明音聲彰著氣為水母故味藏於
腸胃內養五氣五氣和化津液方生津液與氣相副化成神氣乃能生而宣化也帝曰藏象何
如象謂所見於外可閱者也岐伯曰心者生之本神之變也其華在
面其充在血脈為陽中之太陽通於夏氣心者君主之官神明出焉
然君主者萬物繫之以興亡故曰心者生之本神之變也火氣炎上故華在面也心養血其主脈故充在血脈
也心王於夏氣合太陽以太陽居夏火之中故曰陽中之太陽通於夏氣也金匱眞言論曰平旦至日中天之
陽陽中之陽也〇新校正云詳神之變全元起本并太素作神之處肺者氣之本魄之處

也其華在毛其充在皮為陽中之太陰通於秋氣肺藏氣其
神魄其養皮毛故曰肺者氣之本魄之處華在毛充在
皮也肺藏為太陰之氣上王於秋晝日為陽氣所行位
非陰處以太陰居於陽分故曰陽中之太陰通於秋氣
也金匱真言論曰日中至黃昏天之陽陽中之陰也〇
新校正云按太陰甲乙經并太素作少陰當作少陰
肺在十二經雖為太陰然在陽分之中當為少陰也
者主蟄封藏之本精之處也其華在髮其充在骨為陰
中之少陰通於冬氣地戶封閉蟄虫深藏腎又主水受
五藏六府之精而藏之故曰腎者
主蟄封藏之本精之處也腦者髓之海腎主骨髓髮者
腦之所養故華在髮充在骨也以盛陰居冬陰之分故
曰陰中之少陰通於冬也金匱真言論曰合夜至雞
鳴天之陰陰中之陰〇新校正云按全元起本并甲
乙經太素少陰作太陰當作太陰腎在十
二經雖為少陰然在陰分之中當為太陰肝者罷極之
本魂之居也其華在爪其充在筋以生血氣其味酸其
色蒼新校正云詳此六字當去按太素心其味苦其色
赤肺其味辛其色白腎其味鹹其色黑今惟肝脾
二藏載其味其色陰陽應象大論已著色味詳矣此不
當出之今更不寫心肺腎三藏之色味只去肝脾二藏

之色味可矣其注中所引陰陽應象大論文四十一字亦當去之罷音疲此爲陽中之少陽通於春氣夫人之運動者皆筋力之所爲也肝主筋其神魂故曰肝者罷極之本魂之居也爪者筋之餘筋者肝之養故華在爪充在筋也東方爲發生之始故以生血氣也陰陽應象大論曰東方生風風生木木生酸肝合木故其味酸也又曰神在藏爲肝在色爲蒼故其色蒼也以少陽居於陽位而王於春故曰陽中之少陽通於春氣也金匱真言論曰平旦至日中天之陽陽中之陽也○新校正云按全元起本并甲乙經太素作陰中之少陽當作陰中之少陽詳王氏引金匱真言論云平旦至日中天之陽陽中之陽也以爲證則王意以爲陽中之少陽也再詳上文心藏爲陽中之太陽王氏以引平旦至日中之說爲證今肝又引爲證反不引雞鳴至平旦天之陰陰中之陽爲證則王注之失可見當從全元起本及甲乙經太素作陰中之少陽爲得脾胃大腸小腸三焦膀胱者倉廩之本營之居也名曰器能化糟粕轉味而入出者也皆可受盛轉運不息故爲倉廩之本名曰器也營起於中焦中焦爲脾胃之位故云營之居也然水穀滋味入於脾胃脾胃糟粕轉化其味出於三焦膀胱故曰轉味而入出者也其華在脣四白其充在肌其味甘其色黃

新校正云詳此六字當去并註中引陰陽象大論文四十字亦當去已解在前條此至陰之類
通於土氣曰為脾官脾主肌肉故曰華在脣四白充在肌也四白謂脣四際之白色肉也陰陽應象
大論曰中央生濕濕生土土生甘脾合土故其味甘也又曰在藏為脾在色為黃故其色黃也脾藏上氣上合
至陰故曰此至陰之類通於土氣也金匱真言論曰陰中之至陰脾也凡十一藏取決於
膽也上從心藏下至於膽為十一也然膽者中正剛斷無私偏故十一藏取決於膽也故人迎
一盛病在少陽二盛病在太陽三盛病在陽明四盛已
上為格陽陽脉法也少陽膽脉也太陽膀胱脉也陽明胃脉也靈樞經曰一盛而躁在手少陽二盛
而躁在手太陽三盛而躁在手陽明手少陽三焦脉手太陽小腸脉手陽明大腸脉一盛者謂人迎之脉大於
十口一倍也餘盛同法四倍已上陽盛之極故格拒而食不得入也正理論曰格則吐逆寸口一盛
病在厥陰二盛病在少陰三盛病在太陰四盛已上為
關陰陰脉法也厥陰肝脉也少陰腎脉也太陰脾脉也靈樞經曰一盛而躁在手厥陰二盛而躁在手少
陰三盛而躁在手太陰手厥陰心包脉也手少陰心脉也手太陰肺脉也盛法同陽四倍已上陰盛之極故關

閉而洩不得通也正理論曰閉則不得溺洩小便也人迎與寸口俱盛四倍已上為關格關格之脉羸不能極於天地之精氣則死矣俱盛謂俱夫於平常之脉四倍也物不可以久盛極則衰敗故不能極於天地之精氣則死矣靈樞經曰陰陽俱盛不得相營故曰關格關格者不得盡期而死矣此之謂也○新校正云詳羸當作盈脉盛四倍已上非羸也乃盛極也古文羸與盈通用

○五藏生成篇第十新校正云詳全元起本在第九卷按此篇云五藏生成篇而不云論者蓋此篇直記五藏生成之事而無問荅論議之辭故不云論後不言論者義皆倣此

心之合脉也火氣動躁脉類齊同心藏應火故合脉也其榮色也火炎上而色赤故榮美於面而赤色○新校正云詳王以赤色為面榮美未通大抵發見於面之色皆心之榮也豈專為赤哉其主腎也主謂主與腎相畏也火畏於水水與為官故畏於腎肺之合皮也金氣堅定皮象亦然肺藏應金故合皮也其榮毛也毛附皮革故外榮其主心也金畏於火火與為官故主畏於心也肝之合筋也木性曲直筋体亦然肝藏應木故合筋也其榮爪也爪者

筋之合爪榮故其主肺也木畏於金金與為官故主畏於肺也脾之合肉也土性
柔厚肉體亦然脾氣德土故合肉也其榮脣也口為脾之官故榮於脣脣謂四際白色之處非赤色
也其主肝也土畏於木木與為官故主畏於肝也腎之合骨也水性流濕精氣亦然
骨通精髓故合骨也其榮髮也腦為髓海腎氣主之故外榮髮也其主脾也水畏於土
土與為官故主畏於脾也是故多食鹹則脈凝泣而變色心合脈其榮色鹹益
腎勝於心心不勝故脈凝泣而顏色變易也多食苦則皮槁而毛拔肺合皮其榮毛
苦益心勝於肺肺不勝故皮枯槁而毛拔去也多食辛則筋急而爪枯肝合筋其榮爪
辛益肺勝於肝肝不勝故筋急而爪枯也多食酸則肉胝䐢而脣揭脾合肉其
榮脣酸益肝勝於脾脾不勝故肉胝䐢而脣皮揭舉也胝丁尼反䐢側救反多食甘則骨痛
而髮落腎合骨其榮髮甘益脾勝於腎腎不勝故骨痛而髮墮落此五味之所傷也
五味入口輸於腸胃而內養五藏各有所養育所欲欲則互有所傷故下文曰故心欲苦合火故也
肺欲辛合金故也肝欲酸合木故也脾欲甘合土故也腎欲鹹合水故也此

內經二

五味之所合也 各隨其欲而歸湊之 五藏之氣 新校正云按全元起本云此五味之合五藏之氣也連上文太素同 故色見青如草茲者死 茲滋也言如草初生之青色也 黃如枳實者死 色青黃也 黑如炲者死 炲謂炲煤也[illegible]音苔 赤如衃血者死 衃血謂敗惡凝聚之血色赤黑也[illegible]音芳杯反 白如枯骨者死 白而枯槁猶乾骨之白也 此五色之見死也 藏敗故見死色也三部九候論曰五藏已敗其色必夭夭必死矣此之謂也 青如翠羽者生赤如雞冠者生黃如蟹腹者生白如豕膏者生黑如烏羽者生此五色之見生也 皆謂光潤也色雖可愛若見朦朧尤善矣故下文曰 生於心如以縞裹朱生於肺如以縞裹紅生於肝如以縞裹紺生於脾如以縞裹栝樓實生於腎如以縞裹紫 是乃真見生色也縞白色紺薄青色 此五藏所生之外榮也 榮美色也 色味當五藏白當肺辛赤當心苦青當肝酸黃當脾甘黑當腎鹹 各當其所應而為色味也 故白當皮赤當脈青

當筋黃當肉黑當骨各當其所養之藏氣也諸脈者皆屬於目脈者血之府宣明五氣篇曰久視傷血由此明諸脈皆屬於目也〇新校正云按皇甫士安云九卷曰心藏脈脈舍神神明通體故云屬目諸髓者皆屬於腦腦為髓海故諸髓屬之諸筋者皆屬於節筋氣之堅結者皆絡於骨節之間也宣明五氣篇曰久行傷筋由此明諸筋皆屬於節也諸血者皆屬於心血居脈內屬於心也八正神明論曰血氣者人之神神者心之主由此故諸血皆屬於心也諸氣者皆屬於肺肺藏主氣故也此四支八谿之朝夕也八谿者肉之小會名也八谿謂肘膝腕也如是氣血筋脈互有盛衰故為朝夕故人臥血歸於肝肝藏血心行之人動則血運於諸經人靜則血歸於肝藏何者肝主血海故也肝受血而能視言其用也目為肝之官故肝受血而能視足受血而能步氣行乃血流故足受血而能步也掌受血而能握以當把握之用指受血而能攝以當攝受之用也血氣者人之神故并以受血者皆能運用臥出而風吹之血凝於膚者為痺謂[illegible]痺也[illegible]凝於脈者為泣泣謂血行不利凝於足者為厥厥謂

[illegible]此三者，血行而不得反其空，故為痹厥也。空者，血流之道，大經隧也。人有大谷十二分，大經所會，謂之大谷也。十二分者，謂十二經脈之部分。小谿三百五十四名，少十二俞，小絡所會，謂之小谿也。然以三百六十五小絡言之者，除十二俞外，則當三百五十三名，經言三百五十四者，傳寫行書誤以三為四也。新校正云：詳[illegible]全元起本及太素[illegible]俞作關。此皆衛氣之所留止，邪氣之所客也，鍼石緣而去之。衛氣滿填以行，邪氣不得居止，衛氣虧缺留止，則為邪氣所客，故言邪氣所客也。[illegible]診病之始，五決為紀，五決，謂以五藏之脈為決生死之綱紀也。欲知其始，先建其母。母謂應時王氣也。先立應時王氣，而後乃求邪正之氣也。所謂五決者，五脈也。謂五藏脈也。是以頭痛巔疾，下虛上實，過在足少陰巨陽，甚則入腎。足少陰，腎脈。巨陽，膀胱脈。膀胱之脈者，起於目內眥，上額交巔上；其支別者，從巔至耳上角；其直行者，從巔入絡腦，還出別下項，循肩髆內，俠脊抵腰中，入循膂，絡腎屬膀胱。然腎虛而不能引巨陽之氣，故頭痛而為上巔

之疾也經病甚已則入於藏矣
徇蒙招尤，目冥耳聾，下實上虛，過在
足少陽厥陰，甚則入肝。徇疾也蒙不明也言目暴疾而不明招謂掉也搖掉不定也尤
甚也目疾不明首掉尤甚謂暴病也目冥耳聾謂漸病也足少陽膽脉厥陰肝脉也厥陰之脉從少腹上俠胃
屬肝絡膽貫鬲布脇肋循喉嚨之後入頏顙上出額與督脉會於巔其支別者從目系下頰裏足少陽之脉起
於目銳眥上抵頭角下耳後循頸入缺盆其支別者從耳後入耳中又支別者別目銳眥下顴加頰車下頸合
缺盆以下胸中貫鬲絡肝屬膽今氣不足故為是病○新校正云按王註徇蒙言目暴疾而不明義未甚顯徇
蒙者蓋謂目瞼瞤動疾數而蒙暗又少陽之脉下顴甲乙經作下頰頏胡良反顙蘇朗反系莫帝反顴音權
腹滿䐜脹，支鬲胠脇，下厥上冒，過在足太陰陽明。胠謂
脅上也下厥上冒者謂氣從下逆上而冒於目也足太陰脾脉陽明胃脉也足太陰脉自股內前廉入腹屬脾
絡胃上鬲足陽明脉起於鼻交於頞下循鼻外下絡頤頸從喉嚨入缺盆屬胃絡脾其直行者從缺盆下乳內
廉下俠齊入氣街中其支別者起胃下口循腹裏至氣街中而合以下髀故為是病胠去魚反臆音憶
欬上氣厥，在胸中，過在手陽明太陰。手陽明太腸脉太陰肺脉也手陽明

脉自骨髃前廉上出於柱骨之會上下入缺盆絡肺下鬲屬大腸手太陰脉起於中焦下絡大腸還循胃口上鬲屬肺從肺系橫出腋下故為欬嗽上氣厥在胸中也○新校正云按甲乙經厥在病

心煩頭痛

病在鬲中過在手巨陽少陰

手巨陽小腸脉少陰心脉也巨陽之脉從肩上入缺盆絡心循咽下鬲抵胃屬小腸其支別者從缺盆循頸上頰至目銳眥手少陰之脉起於心中出屬心系下鬲絡小腸故心煩頭痛病在胸中也○新校正云按甲乙經云胸中痛支滿腰脊相引面赤過在手少陰太陽也

夫脉之小大滑濇浮沉可以指別

夫脉小者細小大者滿大滑者往來流利濇者往來蹇難浮者浮於手下沉者按之乃得也如是雖衆狀不同然手巧心諦而指可分別也

五藏之象可以類推

象謂氣象也言五藏雖隱而不見然其氣象性用猶可以物類推之何者肝象木而曲直心象火而炎上脾象土而安靜肺象金而剛決腎象水而潤下夫如是皆大舉宗兆其中隨事變化象法傍通者可以同類而推之尒

五藏相音可以意識

音謂五音也夫肝音角心音徵脾音宮肺音商腎音羽此其常應也然其互相勝負聲見否藏則耳聰心敏者猶可以音識而知之

五色微診可以目察

色謂顏色也夫肝色青心色赤脾色黃肺色白腎色黑此其常色也然其氣象

［交互徵見者幽則可明者遠者可以占視而知之］能合脉色，可以萬全。［色青者其脉弦，色赤者其脉鉤，色黃者其脉代，色白者其脉毛，色黑者其脉堅，此其常色脉也。然其參校異同，斷言成敗，則審而不惑，萬舉萬全。色脉之病，例如下說。］

赤脉之至也，喘而堅，診曰有積氣在中，時害於食，名曰心痺。［喘謂脉至如卒喘狀也。藏居高，病則脉為喘狀，故心肺二藏而獨言之爾。喘為心氣不足，堅則病氣有餘。心脉起於心胸之中，故積氣在中，時害於食也。積謂病氣積聚。痺謂藏氣不宣行也。］得之外疾，思慮而心虛，故邪從之。［思慮心虛，故外邪因之而居止矣。］

白脉之至也，喘而浮，上虛下實，驚，有積氣在胸中，喘而虛，名曰肺痺，寒熱。［喘為不足，浮者肺虛，肺不足是謂心虛，上虛則下當滿實矣。以其不足，故善驚而氣積胸中矣。然脉喘而浮，是脉自不足；喘而虛者，是心氣上乘肺，肺受熱而氣不得營，故名肺痺，而外為寒熱也。］得之醉而使內也。［酒味苦燥，內益於心，醉甚入房，故心氣上勝於肺矣。］

青脉之至也，長而左右彈，有積氣在心下支胠，名曰肝痺。［脉長而彈，是為弦緊。緊為寒氣，中濕乃弦。肝主胠脇，近於心，故氣積心下，又支胠也。正理論脉名例

曰緊脉者如切繩狀言左右彈人手也得之寒濕與疝同法腰痛足清頭
脉緊為寒脉長為濕疝之為病亦寒濕所生故言與疝同法也寒濕在下故腰痛也肝脉者起於足上行
至頭出額與督脉會於顛故病則足冷而頭痛也清亦冷也疝所晏反黃脉之至也大而
虛有積氣在腹中有厥氣名曰厥疝脉大為氣脉虛為虛既氣又虛故脾
氣積於腹中也若腎氣逆上則是厥疝腎氣下上則俱虛而脾氣積也女子同法得之疾
使四支汗出當風女子同法言同其候也風氣通於肝故汗出當風則脾氣積滿於腹中
黑脉之至也上堅而大有積氣在小腹與陰名曰腎痹
上謂寸口也腎主下焦故氣積聚於小腹與陰也得之沐浴清水而卧濕氣傷下自歸
於腎況沐浴而卧得濕病乎靈樞經曰身半以下濕之中也凡相五色之奇脉面黃
目青面黃目赤面黃目白面黃目黑者皆不死也奇脉謂與
色不相偶合也凡色見黃皆為有胃氣故不死也○新校正云按甲乙經無之奇脉三字面青目青
面赤目白面青目黑面黑目白面赤目青皆死也[illegible]

皆死者以無胃氣也五藏以胃氣為本故無黄色皆曰死焉

○五藏別論篇第十一新校正云按全元起本在第五卷

黄帝問曰余聞方士或以腦髓為藏或以腸胃為藏或以為府敢問更相反皆自謂是不知其道願聞其說方士謂明悟方術之士也言互為藏府之差異者經中猶有之矣靈蘭秘典論以腸胃為十二藏相使之次六節藏象論云十一藏取決於膽五藏生成篇云五藏之象可以類推五藏相音可以意識此則互相矛楯爾腦髓為藏應在別經[illegible]堅之反岐伯對曰腦髓骨脈膽女子胞此六者地氣之所生也皆藏於陰而象於地故藏而不寫名曰奇恒之府腦髓骨脈雖名為府不正與神藏為表裏膽與肝合而不同六府之傳寫胞雖出納納則受納精氣出則化出形容形容之出謂化極而生然出納之用有殊於六府故言藏而不寫名曰奇恒之府也夫胃大腸小腸三焦膀胱此五者天氣之所生也其氣象天故寫而不藏此受五藏濁氣名曰傳化之府此不能

又留輸寫者也。言水穀入已糟粕變化而泄出不能久又當住於中但當化已輸寫令去而已傳寫諸化故日傳化之府也魄門亦為五藏使水穀不得久藏之謂肛門也內通於肺故曰魄門受已化物則為五藏行使然水穀亦不得久藏於中所謂五藏者藏精氣而不寫也，故滿而不能實。精氣為滿水穀為實但藏精氣故滿而不能實六府者傳化物而不藏，故實而不能滿也。新校正云按全元起本及甲乙經太素精氣作精神以不藏精氣但受水穀故也所以然者水穀入口則胃實而腸虛，以未下也食下則腸實而胃虛，水穀下也故曰實而不滿，滿而不實也。帝曰：氣口何以獨為五藏主？氣口則寸口也亦謂脈口以寸口可候氣之盛衰故云氣口可以切脈之動靜故云脈口皆同取於手魚際之後同身寸之一寸是則寸口也岐伯曰：胃者水穀之海，六府之大源也。人有四海水穀之海則其一也受水穀已榮養四傍以其當運化之源故為六府之大源也五味入口，藏於胃以養五藏氣，氣口亦太陰也。氣口在手魚際之後同身寸之一寸氣口之所偏脉動者是手太陰一脉氣所行故言氣口亦太陰也是以五藏六府之氣味皆出於胃變見於氣口榮氣之道內穀為寶〇新校正云詳此注出靈樞寶作實〇穀入於胃氣傳與肺精專者循肺氣行於氣口故云變見於氣口也〇新校正云按全元起本出作入故五氣入鼻藏於心肺心肺有病而鼻為之不利也凡治病必察其下適其脈觀其志意與其病也下謂目下所見可否也調適其脉之盈虛觀量志意之邪正及精神盛衰之宜乃守法以治之也〇新校正云按太素作必察其上下適其脉候觀其志意與其病也拘於鬼神者不可與言至德志意邪則好祈禱言至德則事必違故不可與言至德也惡於鍼石者不可與言至巧惡於鍼石則巧不得施故不可與言至巧音汚（惡）病不許治者病必不治治之無功矣心不許人治之是其必死強為治者功亦不成故曰治之無功矣

〇異法方宜論篇第十二新校正云按全元起本在第九卷

黃帝問曰醫之治病也一病而治各不同皆愈何也不同

十五

[illegible]岐伯對曰地勢使然也謂天地生長收藏及高下燥

[illegible]之故東方之域天地之所始生也法春氣也魚鹽之地海

濱傍水鹽之[illegible]海之利也水際也[illegible]近之其民食魚而嗜鹹皆安其

處美其食豐其利故居安恣其味故食美魚者使人熱中鹽者勝血魚發

熱則熱中之信鹽發渴則勝血之徵故其民皆黑色踈理其病皆爲癰瘍

血弱而熱故善爲癰瘍其治宜砭石砭石謂以石爲鍼也山海經曰高氏之山有石如玉可以

爲鍼則砭石也○新校正云按全氏一作[illegible]故砭石者亦從東方來東人今用之西

方者金玉之域沙石之處天地之所收引也法秋氣也引謂牽引

使收殺也其民陵居而多風水土剛強居室如陵故曰陵居金氣肅殺故水土剛

強也○新校正云詳大抵西方地高民居高陵故多風也不必室如陵矣其民不衣而褐薦

其民華食而脂肥不衣絲綿故曰不衣褐謂毛布也薦謂細草也華謂鮮美酥酪骨肉之類

也以食鮮美故人體脂肥故邪不能傷其形體其病生於內水土剛強飲食

肥膚腠閉封血氣充實故邪不能傷也內謂喜怒悲憂恐及飲食男女之過甚也○新校正云詳悲一作思
當作思已具陰陽應象大論注中其治宜毒藥能攻其病則謂之毒藥以其血氣盛肌肉堅飲
食華水土強故病宜毒藥方制御之藥謂草木虫魚鳥獸之類皆能除病者也故毒藥者亦從
西方來西人方術今奉之北方者天地所閉藏之域也其地高
陵居風寒氷冽法冬氣也其民樂野處而乳食藏寒生滿病
水寒氷冽故生病於藏寒也○新校正云按甲乙經無滿字其治宜灸焫火艾燒灼謂之灸焫
故灸焫者亦從北方來北人正行其法南方者天地所長養陽
之所盛處也其地下水土弱霧露之所聚也法夏氣也地下則水
流歸之水多故土弱而霧露聚其民嗜酸而食胕言其所食不芬香○新校正云按全元起
云食魚也故其民皆緻理而赤色其病攣痺酸味收歛故人皆肉理密緻陽
盛之處故色赤濕氣內滿熱氣外薄故筋攣脉痺也其治宜微鍼微細小也細小之鍼調脉衰盛
也故九鍼者亦從南方來南人宗之中央者其地平以濕

內經二　十六

天地所以生萬物也衆法土德之用故生物衆然東方海南方下西方北方高中央之地平以濕則地形斯異生病殊焉其民食雜而不勞四方輻輳而萬物交歸故人食紛雜而不勞也故其病多痿厥寒熱濕氣在下故多病痿弱氣逆及寒熱也陰陽應象大論曰地之濕氣感則害皮肉筋脉居近於濕故尒其治宜導引按蹻導引謂揺筋骨動支節按謂抑按皮肉蹻謂捷舉手足故導引按蹻者亦從中央出也中央用爲養神調氣之正道也故聖人雜合以治各得其所宜隨方而用各得其宜惟聖人法乃能然矣故治所以異而病皆愈者得病之情知治之大體也達性懷故然

○移精變氣論篇第十三

新校正云按全元起本在第二卷

黃帝問曰余聞古之治病惟其移精變氣可祝由而已今世治病毒藥治其内鍼石治其外或愈或不愈何也移謂移易變謂變改皆使邪不傷正精神復強而内守也生氣通天論曰聖人傳精神服天氣上古天眞論曰

[illegible]岐伯對曰往古人居禽獸之間動作以避寒陰居以避暑內無眷慕之累外無伸宦之形新校正云按全元起本伸作[illegible]此恬憺之世邪不能深入也故毒藥不能治其內鍼石不能治其外故可移精祝由而已古者巢居穴處夕隱朝遊禽獸之間斷可知矣然動躁陽盛故身熱足以禦寒涼氣生寒故陰居可以避暑矣夫志捐思想則內無眷慕之累心亡願欲故外無伸宦之形靜保天真自無邪勝是以移精變氣無假毒藥祝說病由不勞鍼石而已○新校正云按全元起云祝由南方神今之世不然情慕云為遠於道也憂患緣其內苦形傷其外又失四時之從逆寒暑之宜賊風數至虛邪朝夕內至五藏骨髓外傷空竅肌膚所以小病必甚大病必死故祝由不能已也帝曰善余欲臨病人觀死生決嫌疑欲知其要如日月光可得聞乎岐伯曰色脈者上帝之所貴也先師之所傳也上帝謂上古之帝先師謂岐伯祖世之師僦貸

季也

上古使僦貸季理色脈而通神明，合之金木水火土四時八風六合，不離其常，先師以色白脈毛而合金應秋，以色青脈弦而合木應春，以色黑脈石而合水應冬，以色赤脈洪而合火應夏，以色黃脈代而合土應長夏及四季。然以是色脈下合五行之休王，上副四時之往來，故六合之間，八風鼓坼，不離常候，盡可與期。何者？以見其變化而知之也。故下文曰：變化相移，以觀其妙，以知其要，欲知其要，則色脈是矣。言所以知四時五行之氣變化相移之要妙者何？以色脈故也。色以應日，脈以應月，常求其要，則其要也。言脈應月，色應日者，占候之期準也。常求色脈之差忒，是則平人之診要也。夫色之變化，以應四時之脈，此上帝之所貴，以合於神明也，所以遠死近生，觀色脈之藏否，曉死生之徵兆，故能常遠於死而近於生也。生道以長，命曰聖王。上帝聞道，勤而行之，生道以長，惟聖王乃尔，而常服也。中古之治病，至而治之，湯液十日，以去八風五痺之病，謂八方之風，五痺謂皮肉筋骨脈之痺也。靈樞經曰：風從東方來，名曰嬰兒風，其傷人也，外在筋紐，內舍於肝風從東南來名曰弱風其傷人也外在於肌內舍於胃風從南方來名曰大弱風其傷人也外在於脉內舍於心風從西南來名曰謀風其傷人也外在於肉內舍於脾風從西方來名曰剛風其傷人也外在於皮內舍於肺風從西北來名曰折風其傷人也外在於手太陽之脉內舍於小腸風從北方來名曰大剛風其傷人也外在於骨內舍於腎風從東北來名曰凶風其傷人也外在於掖脇內舍於大腸又痺論曰以春甲乙傷於風者為筋痺以夏丙丁傷於風者為脉痺以秋庚辛傷於風者為骨痺以冬壬癸傷於邪者為肌痺以至陰遇此者為肌痺是所謂八風五痺之病也○新校正云按此註引痺論今經中痺論不如此當云風論曰以春甲乙傷於風者為肝風以夏丙丁傷於風者為心風季夏戊己傷於邪者為脾風以秋庚辛中於邪者為肺風以冬壬癸中於邪者為腎風痺論曰風寒濕三氣雜至合而為痺以冬遇此者為骨痺以春遇此者為筋痺以夏遇此者為脉痺以至陰遇此者為肌痺以秋遇此者為皮痺

十日不已治以草蘇草荄之枝本末為助標本已得邪氣乃服

草蘇謂藥煎也草荄謂草根也枝謂莖也言以藥根苗合成其煎俾相佐助而以服之凡藥有用根者有用莖者有用枝者有用華實者有用根莖枝華實者湯來不去則尽用之故云本末為助也標本已得邪氣乃服者言工人與病主療相應則邪氣率

服而隨時猶也湯液醪醴論曰病為本工為標標本不得邪氣不服此之謂主療不相應甚或謂取藥本論末云鍼也〇新校正云按全元起本又云得其標本邪氣乃亂矣

暮世之治病也則不然

治不本四時不知日月不審逆從

是反古也四時之氣逆從論曰春氣在經脈夏氣在孫絡長夏氣在肌肉秋氣在皮膚冬氣在骨髓中當各隨所在而辟伏其邪令不知日月者謂日有寒溫明暗月有空滿虧盈也八正神明論曰凡刺之法必候日月星辰四時八正之氣氣定乃刺之是故天溫日明則人血淖液而衛氣浮故血易寫氣易行天寒日陰則人血凝泣而衛氣沈月始生則血氣始精衛氣始行月郭滿則血氣實肌肉堅月郭空則肌肉減經絡虛衛氣去形獨居是以因天時而調血氣也是故天寒無刺天溫無疑月生無寫月滿無補月郭空無治是謂得時而調之因天之序盛虛之時移光定位正立而待之故曰月生而寫是謂藏虛月滿而補血氣揚溢絡有留血命曰重實月郭空而治是謂亂經陰陽相錯真邪不別沈以留止外虛內亂淫邪乃起此之謂也不審逆從者謂不審量其病可治與不可治也故下文曰

病形已成乃欲微鍼治其外湯液治其內

言心意粗略不精審也

粗工兇兇以為可攻故病未已新病復

起粗謂粗略也兇兇謂不料事宜之可否也何以言之宜令飲人形氣羸劣食令極飽能不量其與食而為惡邪盡為失時復過節也非病逆鍼石湯液失時過節則其害反增矣○新校正云按別本霣一作害
帝曰願聞要道岐伯曰治之要極無失色脉用之不惑
治之大則惑謂惑亂則謂法則也言色脉之應昭然不欺但順用而不亂紀綱則治病審當之大法也
逆從到行標本不得亡神失國逆從到行謂反順為逆標本不得謂工病失宜夫以反理到行所為非順豈唯治人而神氣受害若使之輔佐君主亦令國祚不保康寧矣去故
就新乃得真人標本不得工病失宜則當去故逆理之人就新明悟之士乃得至真精曉之人以全已也帝曰余聞其要於夫子矣夫子言不離色脉此余
之所知也岐伯曰治之極於一帝曰何謂一岐伯曰一
者因得之因問而得之也帝曰奈何岐伯曰閉戶塞牖繫之病
者數問其情以從其意問其所欲而察是非也得神者昌失神者
亡帝曰善

〇湯液醪醴論篇第十四新校正云按全元起本在第五卷

黄帝問曰爲五穀湯液及醪醴奈何液謂清液醪醴謂酒之屬也

歧伯對曰必以稻米炊以稻薪稻米者完稻薪者堅堅謂資其堅勁完謂取其完全完全則酒清冷堅勁則氣迅疾而效速也帝曰何以然言何以能完堅邪

歧伯曰此得天地之和高下之宜故能至完伐取得時故能至堅也夫稻者生於陰水之精首戴天陽之氣二者和合然乃化成故云得天地之和而能至完秋氣勁切霜露凝結稻以冬採故云伐取得時而能至堅帝曰上古聖人作湯液醪醴爲而不用何也歧伯曰自古聖人之作湯液醪醴者以爲備耳言聖人愍念生靈先防明漸陳其法制以備不虞耳夫上古作湯液故爲而弗服也聖人不治已病治未病故但爲備用而不服也中古之世道德稍衰邪氣時至服之萬全雖道德稍衰邪氣時至以心猶近道故服用萬全也

帝曰今之世不必已何也言不必如中古之世用也歧伯曰當今之

世必齊毒藥攻其中，鑱石鍼艾治其外也言法殊於往古也帝曰形弊血盡而功不立者何？岐伯曰神不使也。帝曰何謂神不使？岐伯曰鍼石道也言神不能使鍼石之妙用也何者志意違背於師令故也精神不進，志意不治，故病不可愈動離於道耗散天真故尒○新校正云按全元起本云精神進志意定故病可愈太素云精神越志意散故病不可愈今精壞神去，榮衛不可復收，何者？嗜欲無窮而憂患不止，精氣弛壞，榮泣衛除，故神去之而病不愈也精神者生之源榮衛者氣之主氣主不輔生源復消神不內居病何能愈哉帝曰夫病之始生也，極微極精，必先入結於皮膚，今良工皆稱曰病成，名曰逆，則鍼石不能治，良藥不能及也。今良工皆得其法，守其數，親戚兄弟遠近音聲日聞於耳，五色日見於目，而病不愈者，亦何暇不早乎新校正云按別本暇一作謂岐伯曰病為本，工為標，標本不得邪氣不服此之謂也言醫與病不相得也然工人或親戚兄弟該明情疑勿用工先備識不謂知方針艾之妙靡容藥石之攻匪預如是則道雖昭著萬舉萬全病不許治欲奚爲療五藏別論曰拘於鬼神者不可與言至德惡於針石者不可與言至巧病不許治者病不必治治之無功此皆謂工病不相得邪氣不賓服也豈惟針艾之有惡哉藥石亦有之矣○新校正云按移精變氣論曰標本已得邪氣乃服

帝曰其有不從毫毛生而五藏陽以竭也新校正云按全元起本及太素陽作傷義亦通津液充郭其魄獨居孤精於內氣耗於外形不可與衣相保此四極急而動中是氣拒於內而形施於外治之奈何不從毫毛言生於內也陰氣內盛陽氣竭絕不得入於腹中故言五藏陽以竭也津液者水也充滿也郭皮也陰稸於中水氣脹滿上攻於肺肺氣孤危魄者肺神腎爲水害子不救毋故云其魄獨居也夫陰精損削於內陽氣耗減於外則三焦閉溢水道不通水滿皮膚身体否腫故云形不可與衣相保也凡此之類皆四支脉數急而內鼓動於肺中也肺動者謂氣急而欬也言是數者皆水氣格拒於腹膜之內浮腫施張於身形之外欲窮標本其可得乎四極言四末則四支也左傳曰風淫末疾靈樞經曰陽

受氣於四末○新校正云詳形施於外施字疑誤岐伯曰平治於權衡去宛陳莝新校正云按太素莝作莖是以微動四極溫衣繆刺其處以復其形開鬼門潔淨府精以時服五陽已布疏滌五藏故精自生形自盛骨肉相保巨氣乃平平治權衡謂察脈浮沉也脈浮為在表脈沉為在裏在裏者泄之在外者汗之故下文云開鬼門潔淨府也去宛陳莝謂去積久之水物猶如草莝之不可久留於身中也全本作草莖微動四極謂微動四支令陽氣漸以宣行故又曰溫衣也經脈滿則絡脈溢絡脈溢則繆刺之以調其絡脈使形容如舊而不腫故云繆刺其處以復其形也開鬼門是啓玄府遺氣也五陽是五藏之陽氣也潔淨府謂寫膀胱水去也脈和則五精之氣以時賓服於腎藏也然五藏之陽漸而宣布五藏之外氣也復除也如是故精髓自生形肉自盛藏府既和則骨肉之氣更相保抱大經脈氣然乃平復介

帝曰善

○玉版論要篇第十五新校正云按全元起本在第二卷

黃帝問曰余聞揆度奇恒所指不同用之奈何岐伯對

曰揆度者度病之淺深也奇恒者言奇病也請言道之至數五色脉變揆度奇恒道在於一一謂色脉之應也知色脉之應則可以揆度奇恒矣○新校正云按全元起本請作謂神轉不回回則不轉乃失其機血氣者神也八正神明論曰血氣者人之神不可不謹養也夫血氣應順四時遞迭囚王循環五氣無相奪倫是則神轉不回也回謂却行也然血氣隨王不合却行却行則反常反常則回而不轉也回而不轉乃失生氣之機矣何以明之夫木衰則火王火衰則土王土衰則金王金衰則水王水衰則木王終而復始循環此之謂神轉不回也若木衰水王水衰金王金衰土王土衰火王火衰木王此之謂回而不轉也然反天常執生之有耶何至數之要迫近以微言五色五脉變化之要道迫近於天常而微妙著之玉版命曰合玉機玉機篇名也言以此回轉之要旨著之玉版同於玉機論文也○新校正云詳道之至數至此與玉機眞藏論文相重注頗不同容色見上下左右各在其要容色者他氣也如肝木部內見赤黃白黑色皆謂他氣也餘藏率如此例所見皆在明堂上下左右要察候處故云各在其要○新校正云按全元起本容作客視色之法具在甲乙經中其色見

淺者湯液主治十日已色淺則病微故十日乃已其見深者必齊主治二十一日已色深則病甚故必終齊乃已其見大深者醪酒主治百日已病深甚故日多色夭面脫不治色見大深兼之夭惡面肉又脫不可治也百日盡已色不夭面不脫治之百日盡可已〇新校正云詳色夭面脫雖不治然期當百日乃已盡也脈短氣絕死脈短已虛加之漸絕真氣將竭故必死病溫虛甚死甚虛而病溫溫氣內涸其精血故死色見上下左右各在其要上為逆下為從色見於下者病生之氣也故從色見於上者傷神之兆也故逆女子右為逆左為從男子左為逆右為從左為陽故男子右為從而左為逆右為陰故女子右為逆而左為從易重陽死重陰死女子色見於左男子色見於右是變易也男子色見於左是曰重陽女子色見於右是曰重陰氣極則反故皆死也陰陽反他新校正云按陰陽應象大論云陰陽反作治在權衡相奪奇恒事也揆度事也權衡相奪謂陰陽二氣不得高下之宜是奇於恒常之事當揆度其氣隨宜而處療之搏脈痹躄寒熱之交脈擊搏於手而病痹寒及變躄

者皆寒熱之氣交合所為非邪氣虛實之所生也脈孤為消氣虛泄為奪血去脈有表有裏有裏無表皆曰孤亡之氣也若有表有裏而氣不足者皆曰虛衰之氣也孤為逆虛為從孤無所依故曰逆虛衰可復故曰從行奇恒之法以太陰始凡揆度奇恒之法先以氣口太陰之脈定四時之正氣然後度量奇恒之氣也行所不勝曰逆逆則死木見金脈金見火脈火見水脈水見土脈土見木脈如是皆見所不勝也故曰逆賊勝不已故逆則死焉行所勝曰從從則活木見水火土脈火見金土木脈土見金水火脈金見土木水脈水見金火木脈如是者皆可勝之脈故曰從從則無所剋殺傷敗故從則活也八風四時之勝終而復始以不越於五行故雖相勝猶循環終而復始也逆行一過不可復數論要畢矣過謂遍也然逆行一過遍於五氣者不復可數為平和矣

○診要經終論篇第十六新校正云按全元起本在第二卷

黃帝問曰診要何如岐伯對曰正月二月天氣始方地氣始發人氣在肝方正也言天地氣正發生其萬物也木治東方王七十二日猶當三月節

後一十二日是木之用事以月而取則正月一月人氣在肝三月四月天氣正方地
氣定發人氣在脾天氣正方以陽氣明盛地氣定發爲萬物華而欲實也然季終土寄而王
土又生於丙故人氣在脾五月六月天氣盛地氣高人氣在頭天陽蒸盛
地焰高升故言天氣盛地氣高火性炎上故人氣在頭七月八月陰氣始殺人氣
在肺七月三陰爻生八月陰始肅殺故云陰氣始殺也然陰氣肅殺數合於金肺氣象金故人氣在肺
九月十月陰氣始冰地氣始閉人氣在心陰氣始凝地氣始閉隨陽
而入故人氣在心十一月十二月冰復地氣合人氣在腎陽氣深伏
故氣在腎也夫氣之變也故發生於木長茂於土盛高而上肅殺於金避寒於火伏藏於水斯皆隨順陰陽氣
之升沈也五藏生成篇曰五藏之象可以類推此之謂氣類也故春刺散俞及與分理
血出而止散俞謂間穴分理謂肌肉分理○新校正云按四時刺逆從論云春氣在經脈此散俞卽
經脉之俞也又水熱穴論云春取絡脉分肉甚者傳氣間者環也辨疾氣之間甚也傳
謂相傳環謂循環也相傳則傳所不勝循環則周迴於五藏也○新校正云按太素環也作環已夏刺

絡俞見血而止盡氣閉環痛病必下[illegible]

邪之氣也邪氣盡已宛陳開[illegible]則經脈之[illegible]而病[illegible]之氣必下去矣以陽氣大盛故[illegible]是[illegible]刺之[illegible]按四時刺逆從論云夏氣在孫絡此絡俞開[illegible]孫絡之俞也又水熱穴論云夏取盛經分腠[illegible]

循理上下同法神變而止[illegible]理[illegible]肉[illegible]下[illegible]手脈下謂足脈之[illegible]氣變易與未刺時異也脈者神之用故今言之○新校正云按四時刺逆從論云秋氣在皮膚義與此合又水熱穴論云取俞以寫陰邪取合以虛陽邪皇甫士安云是始秋之治變

冬刺俞竅於分理甚者直下間者散下直下謂直令下之散下謂散布下之○新校正云按四時刺逆從論云冬氣在骨髓此俞竅即骨髓之俞竅也又水熱穴論云冬取井滎皇甫士安云是冬之治變

春夏秋冬各有所刺法其所在春刺夏分脈亂氣微入淫骨髓病不能愈令人不嗜食又且少氣心主脈故脈亂氣微水受氣於夏腎主骨故入淫於骨髓也心火微則胃土不足故不嗜食而少氣也○新校正云按四時刺逆從論云春刺絡脈血氣外溢令人少氣

春刺秋分筋攣逆氣環為欬嗽病不愈令人

時驚又且哭未受氣於秋肝主筋故刺秋分則筋攣也若氣逆環周則為欬嗽肝主驚故時驚肺主氣故氣逆又且哭也○新校正云按四時刺逆從論云春刺肌肉血氣環逆令人上氣也春刺冬分邪氣著藏令人脹病不愈又且欲言語冬主陽氣伏藏故邪氣著藏腎實則脹故刺冬分則令人脹也火受氣於冬心主言故欲言語也○新校正云按四時刺逆從論云春刺筋骨血氣內著令人腹脹夏刺春分病不愈令人解墮肝養筋肝氣不足故筋力解墮○新校正云按四時刺逆從論云夏刺經脉血氣乃竭令人解㑊夏刺秋分病不愈令人心中欲無言惕惕如人將捕之肝木為語傷秋分則肝木虛故恐如人將捕之肝不足故欲無言而復恐也○新校正云按四時刺逆從論云夏刺肌肉血氣內卻令人善恐甲乙經作闕夏刺冬分病不愈令人少氣時欲怒夏傷於腎肝肺勃之志內不足故令人少氣時欲怒也○新校正云按四時刺逆從論云夏刺筋骨血氣上逆令人善怒秋刺春分病不已令人惕然欲有所為起而忘之肝虛故也刺不當也○新校正云按四時刺逆從論云秋刺經脉血氣上逆令人善忘秋刺夏分病不已令人

益嗜卧又且善夢心氣少則脾氣孤故令嗜卧心主夢神爲之故令善夢○新校正云按四時刺逆從論云秋刺絡脈氣不外行令人卧不欲動秋刺冬分病不已令人洒洒時寒陰氣上下交爭寒甚洒洒寒貌○新校正云按四時刺逆從論云秋刺筋骨血氣內散令人寒慄

冬刺春分病不已令人欲卧不能眠眠而有見肝氣少故令欲卧不能眠肝主目故眠而如見有物之形狀也○新校正云按四時刺逆從論云冬刺經脈血氣皆脫令人目不明冬刺夏分病不愈氣上發爲諸痺泄脈氣故也○新校正云按四時刺逆從論云冬刺絡脈血氣外泄留爲大痺冬刺秋分病不已令人善渴肺氣不足故發渴○新校正云按四時刺逆從論云冬刺肌肉陽氣竭絕令人善忘

凡刺胸腹者必避五藏心肺在鬲上腎肝在鬲下脾象土而居中故刺胸腹必避之五藏者所以藏精神魂魄意志損之則五神去神去則死至故不可不慎也中心者環死氣行如環之一周則死也正謂周十二辰也○新校正云按刺禁論云一日死其動爲噫四時刺逆從論同此經闕刺中肝五日刺禁論云中肝五日死其動爲語四時刺逆從論同中脾者五日死土數五也○新校正云按刺禁論云中脾十日死其

動爲吞四時刺逆從論同中腎者七日死水成數六水數畢當至七日而死一云十日死字之誤也○新校正云按刺禁論云中腎六日死其動爲嚏四時刺逆從論云中腎六日死其動爲嚏欠中肺者五日死金生數四金數畢當至五日而死一云三日死亦字誤也○新校正云按刺禁論云中肺三日死其動爲欬四時刺逆從論同王注四時刺逆中從論云是三論皆岐伯之言而不同者傳之誤也中鬲者皆爲傷中其病雖愈不過一歲必死五藏之氣同主一年鬲傷五藏之氣互相剋其不過一歲而死刺避五藏者知逆從也所謂從者鬲與脾腎之處不知者反之腎著於脊脾藏居中鬲連於脅際知者爲順不知者反傷其藏刺胸腹者必以布憿著之乃從單布上刺藏定則不誤中於五藏也○新校正云按別本憿一云作撽又作撽音古堯反音直歷反刺之不愈復刺[illegible]氣至而故也○經曰刺之氣不至無問其數刺之氣至去之勿復鍼此之謂也刺鍼必肅肅謂靜肅所以候氣之存亡刺腫搖鍼以出大膿血故經刺勿搖經氣不欲泄故此刺之道也帝曰願聞十二經脉之終奈何終謂盡也岐伯曰太陽

内經二　二十五

之脈其終也戴眼反折瘛瘲其色白絕汗乃出出則死矣

戴眼謂睛不轉而仰視也然足大陽脈起於目內眥上額交巔上從巔入絡腦還出別下項循肩髆內俠脊抵腰中其支別者下循足至小指外側手大陽脈起於手小指之端循臂上肩入缺盆其支別者上頰至目內眥抵足大陽○新校正云按甲乙經作斜絡於顴○又其支別者從缺盆循頸上頰至目銳眥○新校正云按甲乙經朵作兌○故戴眼反折瘛瘲色白絕汗乃出也絕汗謂汗暴出如珠而不流旋復乾也大陽極則汗出故出則死

少陽終者耳聾百節皆縱目睘絕系絕系一日半死其死也色先青白乃死矣

足少陽脈起於目銳眥上抵頭角下耳後其支別者從耳後入耳中出走耳前手少陽脈其支別者從耳後亦入耳中出走耳前故終則耳聾目睘絕系也少陽主骨故氣終則骨節縱緩色青白者金木相薄也故見死矣睘謂直視如驚貌睘音瓊

陽明終者口目動作善驚妄言色黃其上下經盛不仁則終矣

足陽明脈起於鼻交頞中下循鼻外入上齒縫中還出俠口環脣下交承漿却循頤後下廉出大迎循頰車上耳前過客主人循髮際至額顱其支別者從大迎前下人迎循喉嚨入缺盆下鬲手陽明脈起於手循臂至肩上出

於柱骨之會上下入缺盆絡肺其支別者從缺盆上頸貫頰下入齒中還出俠口交人中左之右右之左上俠鼻鼽抵足陽明○新校正云按甲乙經鼽作孔無抵足陽明四字○故終則口目動作也口目動作謂目睒睒而鼓頷也胃病則惡人與火聞木音則惕然而驚又罵詈罵詈而不避親疏故善驚妄言也黃者土色上謂手脉下謂足脉也經盛謂面目頸頷足跗腕脛皆躁盛而動也不仁謂不知善惡如是者皆氣竭之徵也故終矣睒音閃

少陰終者面黑齒長而垢腹脹閉上下不通而終矣

手少陰氣絕則血不流足少陰氣絕則骨不耎骨硬則齗上宣故齒長而積垢汙血壞則皮色死故面色如漆而不赤也足少陰脉從腎上貫肝鬲入肺中手少陰脉起於心中出屬心系下鬲絡少腹故其終則腹脹閉上下不通也○新校正云詳王注云骨不耎骨硬按難經及甲乙經云骨不濡則肉弗能著當作骨不濡手少陰脉絡少腹甲乙經作絡小腸

大陰終者腹脹閉不得息善噫善嘔

足大陰脉行從股內前廉入腹屬脾絡胃上鬲手大陰脉起於中焦下絡大腸還循胃口上鬲屬肺故經則若是也靈樞經曰足大陰之脉動則病食則嘔腹脹善噫也

嘔則逆逆則面赤

嘔則氣逆故面赤○新校正云按靈樞經作善噫噫則嘔嘔則逆

不逆則上下不通不通則面

黑皮毛焦而終矣嘔則上逆故但面赤不嘔則下已閉上復不通心氣外燔故皮毛焦而終矣何者足太陰脈支別者復從胃別上鬲注心中由是則皮毛焦乃心氣外燔而然也厥陰終者中熱嗌乾善溺心煩甚則舌卷卵上縮而終矣足厥陰絡循脛上睪結於莖其正經入毛中下過陰器上抵少腹俠胃上循喉嚨之後入頏顙手厥陰脈起於胸中出屬心包故終則中熱嗌乾善溺心煩矣靈樞經曰肝者筋之合也筋者聚於陰器而脈絡於舌本故甚則舌卷卵上縮也又以厥陰之脈過陰器故尒○新校正云按甲乙經睾作睪過作環此十二經之所敗也手三陰三陽足三陰三陽則十二經也敗謂氣終盡而敗壞也○新校正云詳十二經終又出靈樞經與素問重

新刊補註釋文黃帝內經素問卷之二

新刊補註釋文黃帝内經素問卷之三

〇脉要精微論篇第十七

新校正云按全元起本在第六卷

黃帝問曰診法何如岐伯對曰診法常以平旦陰氣未動陽氣未散飲食未進經脉未盛絡脉調勻氣血未亂故乃可診有過之脉動謂動而降卑散謂散而出也亂謂亂過謂異於常候也〇新校正云按脉經及千金方有過之脉作過此非也王注陰氣未動謂動而降卑按金匱真言論云平旦至日中天之陽陽中之陽也則平旦為一日之中純陽之時陰氣未動耳何有降卑之義切脉動靜而視精明察五色觀五藏有餘不足六府強弱形之盛衰以此參伍決死生之分切謂以指切近於脉也精明穴名也在明堂左右兩目內眥也以近於目故曰精明言以形氣盛衰脉之多少視精明之間氣色觀藏府不足有餘參其類伍以決死生之分夫脉者血之府也府聚也言血之多少皆聚見於經脉之中也故刺志論曰脉實血實脉虛血虛此其常也反此者病由是故也長則氣治短則氣病數則煩心大則病進

夫脈長為氣和故治病為不足故病數急為熱故煩心大為邪盛故病進也長脈者往來長短脈者往來短數
數音朔來疾速大脈者往來滿大也上盛則氣高新校正云按全元起本高作鬲下盛則
氣脹代則氣衰細則氣少新校正云按太素細作滑濇則心痛上謂寸口
下謂尺中盛謂盛滿代脈者動而中止不能自還細脈者動如莠蓬濇脈者往來時不利而蹇濇也渾渾
華至如涌泉病進而色弊綿綿其去如弦絕死渾渾言脈氣濁
亂也華至者謂脈來弦而大實而長也如涌泉者言脈汨汨但出而不返也綿綿言微微似有而不甚應手也
如弦絕者言脈卒然如弦之絕去也若病候日進而色弊惡如此之脈皆必死也○新校正云按甲乙經及脈
經作渾渾華至如涌泉病進而危弊弊綽綽其去如弦絕者死夫精明五色者氣之
華也五氣之精華者上見為五色變化於精明之間也六節藏象論曰天食人以五氣五氣入鼻藏於心
肺上使五色脩明肺則明察五色也赤欲如白裹朱不欲如赭白欲如鵝
羽不欲如鹽新校正云按甲乙經作白欲如白璧之澤不欲如堊太素兩出之青欲如
蒼璧之澤不欲如藍黃欲如羅裹雄黃不欲如黃土黑

欲如重漆色不欲如地蒼新校正云按甲乙經作炭色五色精微象
見矣其壽不久也赭色鹽色藍色黃土色地蒼色見者皆精微之敗象故其壽不久夫
精明者所以視萬物別白黑審短長以長為短以白為
黑如是則精衰矣識其誤也夫如是者皆精明衰乃誤也五藏者中之守
也身形之中五神安守之所也此皆明觀五藏也○新校正云按甲乙經及太素守作府中盛藏
滿氣勝傷恐者聲如從室中言是中氣之濕也中謂腹中盛謂
氣盛藏謂肺藏氣勝謂勝於呼吸而喘息變易也夫腹中氣盛肺藏充滿氣勝息變善傷於恐言聲不發如在
室中者皆腹中有濕氣乃尒也言而微終日乃復言者此奪氣也若言音微
細聲斷不續甚奪其氣乃如是也衣被不斂言語善惡不避親疏者此
神明之亂也倉廩不藏者是門戶不要也倉廩謂脾胃門戶謂魄門
靈蘭秘典論曰脾胃者倉廩之官也五藏別論曰魄門亦為五藏使水穀不得久藏也魄門則肛門也要謂禁
要水泉不止者是膀胱不藏也水泉謂前陰之流注也得守者生

失守者死夫如是倉廩不藏氣隱衰恐衣被不斂水泉不止者皆神氣得其所守則生失其所守則死也夫何以知神氣之不守耶衣被不斂言語善惡不避親疏則亂之證也亂甚則不守於藏也夫五藏者身之強也藏安則神守神守則身強故曰身之強也頭者精明之府頭傾視深精神將奪矣背者胸中之府背曲肩隨府將壞矣腰者腎之府轉搖不能腎將憊矣膝者筋之府屈伸不能行則僂附新校正云按別本附一作俯太素作附筋將憊矣骨者髓之府不能久立行則振掉骨將憊矣皆以所居所由而爲之府也得強則生失強則死強謂中氣強固以鎮守也岐伯曰新校正云詳此岐伯曰前無問反四時者有餘爲精不足爲消應太過不足爲精應不足有餘爲消陰陽不相應病名曰關格廣陳其脈應也夫反四時者諸不足皆爲血氣消損諸有餘皆爲邪氣勝精也陰陽之氣不相應合不得相營故曰關格帝曰脈其四時動奈何知病之所在奈何知病之所變奈何知病

乍在內奈何知病乍在外奈何請問此五者可得聞乎言欲順四時及陰陽相應之狀候也岐伯曰新校正云詳此對與問不甚相應脈四時動病之所在病之所變按文頗對病在內在外之說後文殊不相當請言其與天運轉大也指可見陰陽之運轉以明陰陽之不可見也萬物之外六合之內天地之變陰陽之應彼春之暖為夏之暑彼秋之忿為冬之怒四變之動脈與之上下六合謂四方上下也春暖為夏暑言陽生而至盛秋忿為冬怒言陰少而之壯也忿一為急言秋氣勁急也○新校正云按全元起本注怒作緩以春應中規春脈耎弱輕虛而滑如規之象中外皆然故以春應中規夏應中矩夏脈洪大兼之滑數如矩之象可正平之故以夏應中矩秋應中衡秋脈浮毛輕澀而散如秤衡之象高下必平故以秋應中衡冬應中權冬脈如石兼沉而滑如秤權之象下遠於衡故以冬應中權也以秋中權冬中權者言脈之高下異處如此爾此則隨陰陽之氣故有斯四應不同也是故冬至四十五日陽氣微上陰氣微下夏至四十五日陰氣微上陽氣微下陰陽有

時與脉為期期而相失知脉所分分之有期故知死時

察陰陽升降之準則知經脉遞遷之象審氣候遞遷之決則知氣血分合之期分期不差故知人死之時節

微妙在脉不可不察察之有紀從陰陽始

推陰陽升降精微妙用皆在經脉之氣候是以不可不察故始以陰陽為察候之綱紀

始之有經從五行生生之有度四時為宜

言始所以知有經脉之察候司應者何哉蓋從五行衰王而為準度也微求大過不及之形證皆以應四時者為生氣方宜也○新校正云按太素宜作數

補寫勿失與天地如一

有餘者寫之不足者補之是則應天地之常道也然天地之道損有餘而補不足是法天地之道也寫補之宜工切審之其谷氣亦然

得一之精以知死生

聽天地之道補寫下差既得一精亦可知生死之準的

是故聲合五音色合五行脉合陰陽

聲表宮商角徵羽故合五音色見青黃赤白黑故合五行脉乘寒暑之休王故合陰陽之氣也

是知陰盛則夢涉大水恐懼

陰為水故夢涉水而恐懼也陰陽應象大論曰水為陰

陽盛則夢大火燔灼

陽為火故夢大火而燔灼也陰陽應象大論曰火為陽

陰陽俱盛

則夢相殺毀傷亦類交爭之氣象也上盛則夢飛下盛則夢墮氣
上則夢上故飛氣下則夢下故墮甚飽則夢予內有餘故甚饑則夢取內不足故肝
氣盛則夢怒肝在志為怒肺氣盛則夢哭肺聲哀故夢哭○新校正云詳是知
陰盛則夢涉大水恐懼至此乃靈樞之文誤置於斯仍少心脾腎氣盛所夢今具甲乙經中矣短蟲多
則夢聚眾身中短蟲多則夢聚眾長蟲多則夢相擊毀傷長蟲動則內不
安內不安則神躁擾故夢是矣○新校正云詳此二句亦不當出此應他經脫簡文也是故持脈
有道虛靜為保前明脈狀此舉持脈所由也然持脈之道必虛其心靜其志乃保定盈虛而不
失○新校正云按甲乙經保作寶春日浮如魚之遊在波雖出猶未全浮夏日
在膚泛泛乎萬物有餘泛泛平貌陽氣大盛脈氣亦象萬物之有餘易取而洪大也
秋日下膚蟄蟲將去隨陽氣之漸降故曰下膚何以明陽氣之漸降蟄蟲將欲藏去也
冬日在骨蟄蟲周密君子居室在骨言脈深沈也蟄蟲周密言陽氣伏藏君子
居室此人事也故曰知內者按而紀之知內者謂知脈氣也故按而為之綱紀知

外者終而始之知其者經血色象以五色終而復始故此六者持脈之大法見是六者然後可以知脈之遷變也〇新校正云詳此論篇前脈其四時動奈何之事心脈搏堅而長當病舌卷不能言搏謂搏擊於手也諸脈搏堅而長者皆為勞心而藏脈氣虛極也心手少陰脈從心系上使咽喉故令舌卷短而不能言也其耎而散者當消環自已諸脈耎散皆為氣實血虛也消謂消散環謂環周言其經氣如環之周當其火王自消散也〇新校正云按甲乙經環作病乙肺脈搏堅而長當病唾血肺虛極則絡逆絡逆則血泄故唾出也其耎而散者當病灌汗至令不復散發也汗泄玄府津液奔湊寒水灌洗皮密汗藏因灌汗藏故言灌汗至令不復散發也灌謂灌洗盛暑多為此也〇新校正云詳下文諸脈各言色而此肺脈獨不言色者疑闕文也二肝脈搏堅而長色不青當病墜若搏因血在脇下令人喘逆諸脈見大經之氣而色不應者皆非病發內出是外病來勝也夫肝所藏之脈端直以長故言曰色不青當病墜若搏也肝主兩脅故曰因血在脅下也府致陰脈布脇肋循喉嚨之後其支別者復從肝別貫膈上注肺令血有聯下則血氣上熏於肺故令人喘逆也其

耎而散色澤者當病溢飲溢飲者渴暴多飲而易入肌皮腸胃之外也面色浮澤是爲中濕血虛中濕水液不消故言當病溢飲也以水飲滿溢故滲溢易而入肌皮腸胃之外也新校正云按甲乙經易作溢○胃脈搏堅而長其色赤當病折髀胃虛色赤火氣救之心象於火故色赤也胃陽明脈從氣衝下髀抵伏兔故病則髀如折也其耎而散者當病食痺痺痛也胃陽明脈其支別者從大迎前下人迎循喉嚨入缺盆下鬲屬胃絡脾故食則痛悶而氣不散也○新校正云詳痺之為痛其義未詳脾脈搏堅而長其色黃當病少氣脾虛則肺無所養肺主氣故少氣也其耎而散色不澤者當病足䯒腫若水狀也色氣浮澤爲水之候色不潤澤故言若水狀也脾太陰脈自上內踝前廉上腨內循䯒骨後交出厥陰之前上循膝股內前廉入腹故病足䯒腫也腎脈搏堅而長其色黃而赤者當病折腰色氣黃赤是心脾干腎腎受客傷故腰如折也腰者腎府故病發於中其耎而散者當病少血至令不復也腎主水以生化津液今腎氣不化故當病少血至令不復也帝曰新校正云詳帝曰至以其勝治之愈

全元起本在[illegible]篇診得心脈而急此為何病病形何如岐伯曰病名心疝少腹當有形也心為牡藏其氣應陽今脈反寒故為疝也諸脈勁急者皆為寒形病形也帝曰何以言之岐伯曰心為牡藏小腸為之使故曰少腹當有形也少腹小腸也靈蘭秘典論曰小腸者受盛之官以其受盛故形居于內也帝曰診得胃脈病形何如岐伯曰胃脈實則脹虛則泄脈實者氣有餘故脹滿脈虛者氣不足故泄利○新校正云詳此前對帝問知病之所在帝曰病成而變何謂岐伯曰風成為寒熱生氣通天論曰因於露風乃生寒熱故風成為寒熱也癉成為消中癉謂濕熱也熱積於內故變為消中也消中之證善食而瘦○新校正云詳王注以善食而瘦為消中按本經多食數溲謂之消中善食而瘦者乃是食亦之證當云善食而溲數厥成為巔疾厥謂氣逆也氣逆上而不已則變為上巔之疾也久風為飧泄久風不變但在胃中則食不化而泄利也以肝氣內合而乘胃故為是病焉陰陽應象大論曰風氣通於肝故內應於肝也脈風成為癘經風論曰風寒客於脈而不去名曰癘風又曰癘者有榮氣熱胕其

氣不清故使其鼻柱壞而色敗皮膚瘍潰然此則癘也夫如是者皆脉風成結變而爲也病之變化不可勝數新校正云詳此前對帝問知病之所變奈何

帝曰諸癰腫筋攣骨痛此皆安生安何也言何以生之岐伯曰此寒氣之腫八風之變也八風八方之風也然癰腫者傷東南西南風之變也筋攣骨痛者傷東風北風之變也靈樞經曰風從東方來名曰嬰兒風其傷人也外在筋紐風從東南來名曰弱風其傷人也外在於肌風從西南來名曰謀風其傷人也外在於肉風從北方來名曰大剛風其傷人也外在於骨由此四風之變而三病乃生故下問對是也

帝曰治之柰何岐伯曰此四時之病以其勝治之愈也勝謂勝剋也如金勝木木勝土土勝水水勝火火勝金此則相勝也

帝曰有故病五藏發動因傷脉色各何以知其久暴至之病乎重以色氣明審五藏堅長之脉有自病故病及因傷候也岐伯曰悉乎哉問也徵其脉小色不奪者新病也氣乏而神猶彊也徵其脉不奪其色奪者此久病也神持而邪變其氣也徵其脉與五色俱奪者此久病也神與氣俱衰也徵

其脉與五色俱不奪者新病也神與氣俱浮也肝與腎脉並至
其色蒼赤當病毀傷不見血已見血濕若中水也肝色蒼心
色赤赤色見當脉洪腎脉見當色黑今腎脉來反見心色故當因傷而血不見血也若已見血則是濕氣及水在
腹中也何者以心腎脉色中外之候不相應也尺內兩傍則季脇也尺內謂尺澤之內也
兩傍各謂尺之外側也季脅近腎尺主之故尺內兩傍則季脅也尺外以候腎尺裏以
候腹中尺外謂尺之外側尺裏謂尺之內側也次尺外下兩傍則季脅之分季脅之上腎之分季脅之
內則腹之分也附上左外以候肝內以候鬲肝主賁賁鬲也右外以候
胃內以候脾脾居中故以內候之胃為市故以外候之上附上右外以候肺
內以候胸中肺葉垂外故以外候之胸中主氣管故以內候之左外以候心內
以候膻中心主鬲中也膻中則氣海也嗌也○新校正云詳王氏以膻中為嗌也疑誤前以
候前後以候後上前謂左寸口下前謂胸之前膺及氣海也上後謂右寸口下後謂胸之後背
及氣管也上竟上者胸喉中事也下竟下者少腹腰股膝脛

足中亭也上竟上至魚際也下竟下謂盡尺之脉動處也少腹胞氣海在膀胱腰股膝脛足中之竟動靜皆分其近遠及連接處也亦名目以候之知其善惡也麤大者陰不足陽有餘爲熱中也麤大謂脉洪大也脉洪爲熱故曰熱中来疾去徐上實下虛爲厥巔疾來徐去疾上虛下實爲惡風也亦脉狀也故中惡風者陽氣受也以上虛故陽氣受也有脉俱沈細數者少陰厥也尺中之有脉沈細數者是腎少陰氣逆也何者尺脉不當見數有數故言腎也俱沈細數者言左右尺中也沈細數散者寒熱也陽干於陰陰氣不足故寒熱也正理論曰數爲陽浮而散者爲眴仆脉浮爲虛散爲不足氣虛而血不足故爲頭眩而仆倒也[illegible][illegible]不諸浮不躁者皆在陽則爲熱其有躁者在手言大法也但浮不躁則病在足陽脉之中躁者病在手陽脉之中也故又曰其有躁者在手也陽爲火故數爲熱諸細而沈者皆在陰則爲骨痛其有靜者在足細沈而躁則病生於手陰脉之中靜者病生於足陰脉之中也故又曰其有靜者在足也陰主骨故骨痛數動一代者病在陽之脉也洩及

便溲血代止也數動一代是陽氣之生病故云病在陽之脉所以然者以泄利及膿血乃尔諸
過者切之濇者陽氣有餘也滑者陰氣有餘也陽有餘則血少
故脉濇陰有餘則氣多故脉滑也○新校正云詳氣多疑誤當是血多也陽氣有餘為身熱
無汗陰氣有餘為多汗身寒血少氣多斯可知也陰陽有餘則無
汗而寒陽餘無汗陰餘身寒若陰陽有餘則當無汗而寒也推而外之内而不外
有心腹積也脉附臂筋取之不審推筋令遠使脉外行内而不出外者心腹中有積乃尔推
而内之外而不内身有熱也脉遠臂筋推之令近遠而不近是陽氣有餘故身有
熱也推而上之上而不下腰足清也推筋按之尋之而上脉上涌盛是陽氣有
餘故腰足冷也○新校正云按甲乙經上而不下作下而不上推而下之下而不上頭
項痛也推筋按之尋之而下脉沉下掣是陽氣有餘故頭項痛也○新校正云按甲乙經下而不上作
上而不下按之至骨脈氣少者腰脊痛而身有痺也陰氣大過故尔
○平人氣象論篇第十八新校正云按全元起本在第一卷

黃帝問曰。平人何如（平人謂氣候平調之人也）岐伯對曰人一呼脉
再動一吸脉亦再動呼吸定息脉五動閏以太息命曰
平人平人者不病也（經脉一周於身凡長十六丈二尺呼吸脉各再動定息脉又一動則
五動也計二百七十定息氣可環周然盡五十營以一萬三千五百定息則氣都行八百一十丈如是則應天
常度脉氣無不及太過氣象平調故曰平人）常以不病調病人醫不病故為
病人平息以調之為法人一呼脉一動一吸脉一動曰
少氣（呼吸脉各一動準候減平人之半計二百七十定息氣行八丈一尺以一萬三千五百定息氣都行四
百五丈少氣之理從此可知）人一呼脉三動一吸脉三動而躁尺熱
曰病溫尺不熱脉滑曰病風脉濇曰痺（呼吸脉各三動準過平人之半
計二百七十息氣凡行二十四丈三尺病生之兆由斯著矣夫尺者陰分位也寸者陽分位也然陰陽俱熱是
則為溫陽獨盛故脉滑風中陽也脉要精微論曰中惡風者陽氣受也滑為陽盛故病為風濇為無血故為瘴痺
也躁謂煩躁新校正云按甲乙經無脉濇曰痺一句下文亦重）人一呼脉四動以上

曰死脉絶不至曰死乍踈乍數曰死手覆脉各四尊準候遲乎久遠倍計

二百七十息氣凡行三十二丈四尺延其以上邪時法曰脉四至曰脫精出至日死然四至以上亦近五至也

故死矣然脉絶不至天真之氣已無乍數乍踈胃穀之精亦衛此皆死之候是以下文曰〇新校正云按別本

衛一作敗平人之常氣稟於胃胃者平人之常氣也常平之氣胃海

致之靈樞經曰胃為水穀之海也正理論曰穀入於胃脉道乃行人無胃氣曰逆逆者

死逆謂反平人之候也〇新校正云按甲乙經云人常稟氣於胃脉以甲氣為本無胃氣曰逆逆者死春

胃微弦曰平言微似弦不謂微而弦也鉤及耎弱毛石義並同弦多胃少曰肝

病但弦無胃曰死謂急而益勁也新張弓弦也胃而有毛曰秋病毛秋

脉金氣也毛甚曰今病木受金邪故今病藏真散於肝肝藏筋膜之

氣也象陽氣之散發故藏真散也藏氣法時論曰肝欲散急食辛以散之取其順氣夏胃微鉤

曰平鉤多胃少曰心病但鉤無胃曰死謂前曲後居如操帶鉤胃

而有石曰冬病石冬脉水氣也石甚曰今病火被水侵故今病藏真通

於心心藏血脈之氣也象陽氣之炎盛也藏氣法時曰心欲耎食鹹以耎之取其氣長夏胃微耎弱曰平弱多胃少曰脾病但代無胃曰死謂動而中止不能自還也耎弱有石曰冬病石冬脉水氣也次其勝剋石當為弦長夏土絕故云石也弱甚曰今病弱甚為土氣不足故今病○新校正云按甲乙經弱作石藏真濡於脾脾藏肌肉之氣也以含藏水穀故藏真濡也秋胃微毛曰平毛多胃少曰肺病但毛無胃曰死謂如物之浮如風吹毛也毛而有弦曰春病弦春脉木氣也次其乘剋弦當為鉤金氣逆肝則脉弦來見故不鉤而反弦也弦甚曰今病木氣逆來乘金則今病藏真高於肺以行榮衛陰陽也肺處上焦故藏真高也靈樞經曰榮氣之道內穀為實穀入於胃氣傳與肺流溢於中布散於外精專者行於經隧以其自肺宣布故云以行榮衛陰陽也○新校正云按別本實一作寶冬胃微石曰平石多胃少曰腎病但石無胃曰死謂如奪索辟辟如彈石也石而有鉤曰夏病鉤夏脉火氣也次其乘剋鉤當云弱土王長夏不見正形故石而有鉤兼其土也鉤

甚□□□□□火土今病之藏真下於腎腎藏骨髓之氣也

胃□下□□云□真下也胃化骨□□□骨髓之氣也胃之大絡名曰虛里貫鬲

絡肺出於左乳下其動應衣脈宗氣也宗尊也主也謂十二經脈之尊

主也□□□肺出於左乳下者自鬲而出□□□下乃絡肺也盛喘數絕者則病在中

絶謂□□絶也結而橫有積矣絕不至曰死皆左乳下脈動狀也中謂腹中也

乳之下其動應衣宗氣泄也泄謂發泄○新校正云按全元起本無此十一字甲

乙經亦無詳上下文義多此十一字當去欲知寸口太過與不及寸口之脈

中手短者曰頭痛寸口脈中手長者曰足脛痛短為陽氣不及

故病於頭長為陰氣太過故病於足寸口脈中手促上擊者曰肩背痛陽盛

於上故肩背痛寸口脈沉而堅者曰病在中寸口脈浮而盛者

曰病在外沉堅為陰故病在中浮盛為陽故病在外也寸口脈沉而弱曰寒

熱及疝瘕少腹痛沉為寒弱為熱故曰寒熱也又沉為陰盛弱為陽餘餘盛相薄正當寒熱

一本當爲疝瘕而少腹痛應古之錯簡介◐新校正云詳甲乙經無此十五字況下文已有寸口脉沉而喘曰寒熱脉急者曰疝瘕少腹痛此文衍當去寸口脉沉而橫曰脇下有積腹中有橫積痛亦陰氣內結也寸口脉沉而喘曰寒熱喘爲陽吸沉爲陰爭爭吸相薄故寒熱也脉盛滑堅者曰病在外脉小實而堅者病在內盛滑爲陽小實爲陰陰病病在內陽病病在外脉小弱以濇謂之久病小爲氣虛濇爲無血血氣虛弱故云久遠之病也脉滑浮而疾者謂之新病滑浮爲陽足脉疾爲氣全陽足氣全故云新淺之病也脉急者曰疝瘕少腹痛此覆前疝瘕少腹痛之脉也言沉弱不必爲疝瘕沉急乃與診相應脉滑曰風脉濇曰痺滑爲陽陽受病則爲風濇爲陰陰受病則爲痺緩而滑曰熱中盛而緊曰脹緩謂縱緩之狀非動之遲緩也陽盛於中故脉滑緩寒氣否滿故脉盛緊也盛緊盛滿也脉從陰陽病易已脉逆陰陽病難已脉病相應謂之從脉病相反謂之逆脉得四時之順曰病無他脉反四時及不間藏曰難已春得秋脉夏得冬脉秋得夏脉冬得四季脉皆謂反

四時氣不相應故難已也臂多青脉曰脱血血少脉空客寒因入寒凝血汁故脉色青也
尺脉緩濇謂之解㑊尺為陰部腹腎主之緩為熱中濇為無血熱而無血故解㑊而不可
名之然寒不寒熱不熱弱不弱壯不壯儜不可名謂之解㑊也脉要精微論曰尺外以候腎尺裏以候腹中則
腹腎主尺之義也寧書能困弱也安卧脉盛謂之脱血卧久傷氣氣傷則脉診應微今
脉盛而不微則血去而氣無所主乃命盛謂數急而大鼓也尺濇脉滑謂之多汗謂尺
膚濇而尺脉滑也膚濇者榮血內濇脉滑為陽氣內餘血濇而陽氣尚餘多汗而脉乃如是也尺寒脉
細謂之後泄尺主下焦診應腸腹故膚寒脉細泄利乃然脉法曰陰微即下言尺氣虚少脉
尺麤常熱者謂之熱中謂下焦中也肝見庚辛死庚辛為金伐肝木也
心見壬癸死壬癸為水滅心火也脾見甲乙死甲乙為木剋脾土也肺見丙
丁死丙丁為火鑠肺金也腎見戊己死戊己為土刑腎水也是謂真藏見皆
死此亦通明三部九候論中真藏見者勝死也尺麤而藏見亦然頸脉動喘疾欬曰
水水氣上溢則肺被熱熏陽氣上逆故頸脉盛鼓而欬喘也頸脉謂耳下及結喉傍人迎脉也目

微腫如臥蠶起之狀曰水詳熱病論曰水者陰也目下亦陰也腹者至陰之所居故水在腹中者必使目下腫也溺黃赤安臥者黃疸疸勞也腎勞胞熱故溺黃赤也正理論曰謂之勞癉以女勞得之也○新校正云詳王注以疸爲勞義非若謂女勞得疸則可若以疸爲勞非也已食如飢者胃疸是則胃熱也熱則消穀故食已如飢也面腫曰風加之面腫則胃風之證也何者胃陽明脈起於鼻交頞中下循鼻外故爾足脛腫曰水是謂下焦有水也腎少陰脈出於足心上循脛過陰股從腎上貫肝鬲故下焦有水足脛腫也目黃者曰黃疸陽怫於上熱積胸中陽熱上燔故目黃也靈樞經曰目黃者病在胸婦人手少陰新校正云按全元起本作足少陰脈動甚者姙子也手少陰脈謂掌後陷者中當小指動而應手者也靈樞經曰少陰無輸心不病乎岐伯曰其外經病而藏不病故獨取其經於掌後銳骨之端此之謂也動謂動脈也動脈者大如豆厥厥動搖也正理論曰脈陰陽相薄名曰動也又經脈別論曰陰搏陽別謂之有子○新校正云按經脈別論中無此文脈有逆從四時未有藏形春夏而脈瘦新校正云按玉機眞藏論瘦作沈濇秋冬而脈浮大命曰逆四時也春夏脈瘦謂沈

細也秋冬浮大不應時也大抵春夏當浮大而反沈細冬當沈細而反浮大故曰不應時也風新校正云按玉機真藏論風作病熱而脈靜泄而脫血脈實新校正云按玉機真藏論篇逆作泄而脈大脫血而脈實病在中脈虛病在外新校正云按玉機真藏論作脈實堅病在外脈濇堅者新校正云按玉機真藏論作脈不實堅者皆難治風熱當脈躁而反靜泄而脫血當脈虛而反實邪氣在內當脈實而反虛病氣在外當脈虛滑而反堅濇故皆難治也命曰反四時也皆反四時之氣乃殊是義〇新校正云詳命曰反四時也此大害應古錯簡當去自篇本自盡形春夏至此五十三字與後玉機真藏論文相重人以水穀為本故人絕水穀則死脈無胃氣亦死所謂無胃氣者但得真藏脈不得胃氣也所謂脈不得胃氣者肝不弦腎不石也不弦不石皆謂不微似也太陽脈至洪大以長氣盛故能尒〇新校正云按扁鵲陰陽脈法云太陽之脈洪大以長其來浮於筋上動搖九分三月四月甲子王呂廣云大陽王五月六月其氣大盛故其脈洪大而長也少陽脈至乍數乍疏乍短乍長以氣有暢未暢者也〇新校正云按扁鵲

[illegible]陽[illegible]云少陽之脈乍小乍大乍長乍短動搖六分王十一月甲子夜半正月二月甲子王呂廣云少陽王正月二月其氣尚微故其脈來進退無常陽明脈至浮大而短穀氣滿盛故也○新校正云詳[illegible]三陰脈應古文闕也按難經云大陰之至緊大而長少陰之至緊細而微厥陰之至沉短以敦呂廣云陽明王三月四月其氣始萌未成故其脈來浮大而短扁鵲陰陽脈法云少陰之脈緊細動搖六分王五月甲子日中七月八月王太陰之脈緊細以長乘於筋上動搖九分九月十月甲子王厥陰之脈沉短以緊動搖三分十一月十二月甲子王也夫平心脈來累累如連珠如循琅玕曰心平言脈滿而盛微似珠形之中手琅玕珠之類也夏以胃氣為本脈有胃氣則累累而微以連珠也病心脈來喘喘連屬其中微曲曰心病曲謂中手而偃曲也○新校正云詳越人云家家連屬其中微曲曰腎病與素問異死心脈來前曲後居如操帶鉤曰心死居不動也操執持也鉤謂革帶之鉤平肺脈來厭厭聶聶如落榆莢曰肺平浮薄而虛者也○新校正云詳越人云厭厭聶聶如循榆葉曰春平脈藹藹如車蓋按之益大曰秋平脈與素問之說不同張仲景云秋脈藹藹如車蓋者名曰陽結春脈聶聶如

[大論黄帝書言曰衆恐越人之誤謬也]秋以胃氣為本[脉有胃氣則微似毛論藏之輕虛也]病肺脉來不上不下如循雞羽曰肺病[謂中央堅而兩傍虛]死肺脉來如物之浮如風吹毛曰肺死[如物之浮瞥瞥然如風吹毛紛紛然也○新校正云詳越人云按之消索如風吹毛曰死]平肝脉來耎弱招招如揭長竿末梢曰肝平[如竿末梢言長耎也]春以胃氣為本[脉有胃氣乃長耎如竿之末梢矣]病肝脉來盈實而滑如循長竿曰肝病[長而不耎故若循竿]死肝脉來急益勁如新張弓弦曰肝死[勁謂勁強急之甚也]平脾脉來和柔相離如雞踐地曰脾平[言脉來動數相離緩急和而調]長夏以胃氣為本[胃少則脉實數]病脾脉來實而盈數如雞舉足曰脾病[胃少故脉實急矣舉足謂如雞走之舉足也○新校正云詳越人以為心病]死脾脉來銳堅如鳥之啄[新校正云按千金方作如雞之啄也]如鳥之距如屋之漏如水之流曰脾死[鳥啄鳥距言銳堅也水流屋漏言其至也水流謂平至不鼓屋漏謂時動復住]平

腎脉來喘喘累累如鉤按之而堅曰堅平謂如心脉而鈎按之小堅

尒○新校正云按越人云其來上大下兌濡滑如雀之啄曰平呂廣云上大者足太陽下兌者是少陰陰陽得所爲胃氣強故謂之平雀啄者本大而末兌也冬以胃氣爲本胃少則不安亦堅也病腎脉來如引葛按之益堅曰腎病形如引葛言不按且堅明按之則尤甚也死腎脉來發如奪索辟辟如彈石曰腎死發如奪索猶蛇之走辟辟如彈石言促又堅也

○玉機真藏論篇第十九新校正云按全元起本在第六卷

黃帝問曰春脉如弦何如而弦岐伯對曰春脉者肝也東方木也萬物之所以始生也故其氣來耎弱輕虛而滑端直以長故曰弦言端直而長狀如弦也○新校正云按越人云春脉弦者東方木也萬物始生未有枝葉故其脉來濡弱而長四時經作寬反此者病反謂反常平之候帝曰何如而反岐伯曰其氣來實而強此謂太過病在外其

氣來不實而微此謂不及病在中氣餘則病形於外氣少則病在於中也○新校正云按吕廣云實強者陽氣盛也少陽當微弱今更實強謂之太過陽處表故令病在外厥陰之氣養於筋其脉弦今更虛微故曰不及陰處中故令病在內帝曰春脉太過與不及其病皆何如岐伯曰太過則令人善忘忽忽眩冒而巔疾其不及則令人胸痛引背下則兩脇胠滿忽忽不爽也眩謂目眩視如轉也胃謂胃脘也胠謂脇下脅也忘當爲怒字之誤也靈樞經曰肝氣實則怒肝厥陰脉自足而上入毛中又上貫鬲布脇肋循喉嚨之後上入頏顙上出額與督脉會於巔故病如是○新校正云按氣交變大論云木大過甚則忽忽善怒眩冒巔疾則忘當作怒帝曰善夏脉如鉤何如而鉤岐伯曰夏脉者心也南方火也萬物之所以盛長也故其氣來盛去衰故曰鉤言其脉來盛去衰如鉤之曲也○新校正云按越人云夏脉鉤者南方火也萬物之所盛垂枝布葉皆下曲如鉤故其脉來疾去遲呂廣云陽盛故來疾陰虛故去遲脉從下上至寸口疾還尺中遲也反此者病帝曰何如而反岐伯曰其氣來盛

亦盛此謂大過病在外其脉來盛去盛是陽之盛也心氣有餘是為大過其氣來不盛去反盛此謂不及病在中新校正云詳越人云肝心肺腎四藏脉俱以強實為大過虛微為不及與素問不同帝曰夏脉大過與不及其病皆何如岐伯曰大過則令人身熱而膚痛為浸淫其不及則令人煩心上見欬唾下為氣泄心少陰脉起於心中出屬心系下膈絡小腸又從心系却上肺故心大過則身熱膚痛而浸淫流布於形分不及則心煩上見欬唾下為氣泄帝曰善秋脉如浮何如而浮岐伯曰秋脉者肺也西方金也萬物之所以收成也故其氣來輕虛以浮來急去散故曰浮脉來輕虛故名浮也來急以陽未沈下去散以陰氣上升也○新校正云按越人云秋脉毛者西方金也萬物之所終草木華葉皆秋而落其枝獨在若毫毛也故其脉來輕虛以浮故曰毛反此者病帝曰何如而反岐伯曰其氣來毛而中央堅兩傍虛此謂大過病在外其氣來毛而微此謂不及病在中帝曰秋

脉大過與不及其病皆何如岐伯曰太過則令人逆氣而背痛愠愠然其不及則令人喘呼吸少氣而欬上氣見血下聞病音肺太陰脉起於中焦下絡大腸還循胃口上鬲屬肺從肺系横出腋下復藏氣而欬主喘息故氣盛則肩背痛氣逆不及則喘息變易呼吸少氣而欬上氣見血也下聞病音謂喘息則肺中有聲也帝曰善冬脉如營何如而營○脉沉而深如營動也新校正云詳深一作濡又作搏按本經下文云其氣來沉以搏則深深當爲搏又按甲乙經搏字爲濡當從甲乙經爲得何以言之脉沉而濡濡古軟字乃冬脉之平調脉若沉而搏擊於手則冬脉之大過脉也故言當從甲乙經濡字岐伯曰冬脉者腎也北方水也萬物之所以合藏也故其氣來沉以搏故曰營言沉而搏擊於手也○新校正云按甲乙經搏當作濡義如前說又越人云冬脉石者北方之水也萬物之所藏盛冬之時水凝如石故其脉來沉濡而滑故曰石也反此者病帝曰何如而反岐伯曰其氣來如彈石者此謂大過病在外其去如數者此謂不及病在中帝曰冬脉太

過與不及其病皆何如岐伯曰太過則令人解㑊新校正云
按解㑊之義具第三卷注脊脈痛而少氣不欲言其不及則令人心
懸如病飢䏚中清脊中痛少腹滿小便變大陰脈自股內後廉貫
脊屬腎絡膀胱其直行者從腎上貫肝鬲入肺中循喉嚨挾舌本其支別者從肺出絡心注胸中故病如是也
䏚謂季脅之下挾脊兩傍空軟處也腎外當䏚故䏚中清冷也帝曰善帝曰四時之序
逆從之變異也春弦夏鉤秋浮冬營為逆順之變見異狀也然脾脈獨何主
主謂主歲月岐伯曰脾脈者土也孤藏以灌四傍者也納水穀化
津液溉灌於肝心肺腎也以不正主四時故謂之孤藏溉古代反帝曰然則脾善惡可
得見之乎岐伯曰善者不可得見惡者可見不正主時寄王於四
季故善不可見惡可見帝曰惡者何如可見岐伯曰其來如水之
流者此謂太過病在外如鳥之喙者此謂不及病在中
新校正云按平人氣象論云如鳥之喙又別本喙作啄帝曰夫子言脾為孤藏中

夫土以灌四傍其太過與不及其病皆何如岐伯曰大過則令人四支不舉脾主四支故病不舉其不及則令人九竅不通名曰重強脾之[illegible]以灌[illegible]九竅不[illegible]九[illegible]重[illegible]強[illegible]帝瞿然而起再拜而稽首曰善吾得脈之天要天下至數五色脈變揆度奇恒道在於一瞿然[illegible]言以天[illegible]而一[illegible]神轉不迴迴則不轉乃失其機五氣[illegible]衰王反天[illegible]若卻行[illegible]卻迴不行轉乃失生氣之機矣至數之要迫近以微得至數之要道則應用切近以微妙也迫切也著之玉版藏之藏府每旦讀之名曰玉機著之玉版故以為名言是玉版生氣之機○新校正云詳至數至名曰玉版[illegible]與[illegible]玉版論要文相重彼注頗詳五藏受氣於其所生傳之於其所勝氣舍於其所生死於其所不勝病之且死必先傳行至其所不勝病乃死受氣所生者謂受病氣於

己之所生者也傳所勝者謂傳於己之所剋者也氣舍所生者謂舍於生己者也死所不勝者謂死於剋己者之分位也所傳不順故必死焉此言氣之逆行也故死所為逆者次如下說肝受氣於心傳之於脾氣舍於腎至肺而死心受氣於脾傳之於肺氣舍於肝至腎而死脾受氣於肺傳之於腎氣舍於心至肝而死肺受氣於腎傳之於肝氣舍於脾至心而死腎受氣於肝傳之於心氣舍於肺至脾而死此皆逆死也一日一夜五分之此所以占死生之早暮也肝死於肺位秋庚辛餘四倣此然朝主甲乙晝主丙丁四季上主戊己晡主庚辛夜主壬癸由此則死生之早暮可知也○新校正云按甲乙經生作者名曰蠱當此之時可按可藥弗治腎傳之心病筋脈相引而急病名曰瘛腎不足則水不生水不生則筋燥急故相引也陰氣內弱陽氣外燔筋脈受熱而自跳掣故名曰瘛當此之時可灸可藥弗治滿十日法當死至心而氣極則如是矣若復傳行當如下說腎因傳之心

心即復反傳而行之肺發寒熱法當三歲死因腎傳心心不受病即而復反傳與肺金肺已再傷故寒熱也三歲者肺至腎一歲腎至肝一歲肝至心一歲心又來肺故云三歲死此病之次也謂傳勝之次第然其卒發者不必以於傳不必依傳之次故不必以傳治之或其傳化有不以次不以次入者憂恐悲喜怒令不得以其次故令人有大病矣憂恐悲喜怒發無常分觸遇則發故令病氣亦不次而生因而喜大虛則腎氣乘矣喜則心氣移於肺心氣不守故腎氣乘矣宣明五氣篇曰精氣并於心則喜怒則肝氣乘矣怒則氣逆故肝氣乘脾悲則肺氣乘矣悲則肺氣移於肝肝氣受邪故肺氣乘矣宣明五氣篇曰精氣并於肺則悲恐則脾氣乘矣恐則腎氣移於心腎氣不守故脾氣乘矣宣明五氣篇曰精氣并於腎則恐憂則心氣乘矣憂則肝氣移於脾肝氣不守故心氣乘矣宣明五氣篇曰精氣并於肝則憂此其道也此其不次之常道故病有五五五二十五變及其傳化五藏相并而各五之五而乘之則二十五變也然其變化以勝相傳傳而不次變化多端○新校正云按陰陽

別論云凡陽有五五五
二十五陽義與此通
傳乘之名也言傳者何相
乘之異名尒大骨
枯槁大肉陷下胸中氣滿喘息不便其氣動形期六月
死真藏脈見乃予之期日皮膚乾著骨間肉陷謂大骨
枯槁大肉陷下也諸附骨際
及空竅處亦同其類也胸中氣滿喘息不便是肺無主
也肺司治節氣息由之其氣動形為無氣相接故聳舉
肩背以遠求報氣矣夫如是皆形藏已敗神藏亦傷見
是證者期後一百八十日內死矣候見真藏之脈乃與
死日之期尒真藏脈診下經[illegible]
備矣此肺之藏也[illegible]音愈大骨枯槁大肉陷下胸中
氣滿喘息不便內痛引肩項期一月死真藏見乃予之
期日火精外出陽氣上燔金受火災故內痛肩
項如是者期後三十日內死此心之藏也大骨枯
槁大肉陷下胸中氣滿喘息不便內痛引肩項身熱脫
肉破䐃真藏見十月之內死陰氣微弱陽氣內燔故身
熱也䐃者肉之標脾主肉
故肉如脫盡䐃如破敗也見斯證者期後三百日內
死䐃謂肘膝後肉如塊者此脾之藏也䐃渠殞反
骨枯槁大肉陷下肩髓內消動作益衰真藏來見期一

歲死見其真藏乃予之期日[illegible]自實謂歲盛當旺衰[illegible]作謂字云占氣者之早暮詳此經又專[illegible]言氣之逆行也故死即不言生之早暮王氏[illegible]亦[illegible][illegible]本若[illegible]已經中素問本文黃帝曰五藏相通移皆有次五藏有病則各傳其所勝以上文逆傳而死故言是逆傳[illegible]之次也○新校正云詳逆傳所勝之次逆[illegible]作順上文既言逆傳下文所言乃順傳之次也不治法三月若六月若三日若六日傳五藏而當死是順傳所勝之次三月者謂一藏氣之遷移六月者謂至其所勝之位三日者三陽之數以合日也六日者謂兼三陰數之尒熱論日傷寒一日巨陽受二日陽明受三日少陽受四日大陰受五日少陰受六日厥陰受則其義也○新校正云詳上文是順傳所勝之次七字乃是次前注誤在此經文之下不惟無義兼校之全元起本素問及甲乙經並無此七字直去之慮未達者致[illegible]存于注故曰別於陽者知病從來別於陰者知死生之期主辯三陰三陽之候則知中風邪氣之所不勝故下日○新校正云詳者此段注寫作經今改爲注又按陰陽別論云別於陽者知病處也別於陰者知死生之期又云別於陽者知病忌時別於陰者知死生之期歲同此言知三

其所困而死困謂至於不勝也上文曰死於其所不勝是故風者百病之長也言先百病而有之○新校正云按生氣通天論云風者百病之始今風寒客於人使人毫毛畢直皮膚閉而為熱客謂客止於人形也風擊皮膚寒勝腠理故毫毛畢直玄府閉密而熱生也當是之時可汗而發也邪在皮毛故可汗泄也陰陽應象大論曰善治者治皮毛此之謂也或痺不仁腫痛病生而變故如是也熱中血氣則瘍痺不仁寒氣傷形故為腫痛陰陽應象大論云寒傷形熱傷氣氣傷痛形傷腫當是之時可湯熨及火灸刺而去之皆謂釋散寒邪宣揚正氣弗治病入舍於肺名曰肺痺發欬上氣邪入諸陰則病而為痺故入於肺名曰痺焉宣明五氣論曰邪入於陽則狂邪入於陰則痺肺在變動為欬故欬則氣上故上氣也弗治肺即傳而行之肝病名曰肝痺一名曰厥脇痛出食肺金伐木氣下入肝故曰弗治行之肝也肝氣通膽膽善為怒怒者氣逆故一名厥逆肝厥陰脈從少腹屬肝絡膽上貫膈布脇肋循喉嚨之後上入頏顙故脇痛而食入腹則出故曰出食當是之時可按若刺耳弗治肝傳之脾病名

曰脾風發癉腹中熱煩心出黃
肝氣應風木勝脾土土受風氣故曰脾風蓋爲風氣通肝而爲名也脾之爲病善發黃癉故發癉也脾太陰脈入腹屬脾絡胃上膈俠咽連舌本散舌下其支別者復從胃別上鬲注心中故腹中熱而煩心出黃色於便寫之所也
當此之時可按可藥可浴弗治脾傳之腎病名曰疝瘕少腹冤熱而痛出白一名曰蠱
腎少陰脈自股內後廉貫脊屬腎絡膀胱故少腹冤熱而痛溲出白液也冤熱內結消餘脂肉如虫之食日內損削故一交接漸微以餘藏尚全故期後三百六十五日內死此腎之藏也○新校正云按全元起本及甲乙經眞藏來見來字當作未字之誤也
大骨枯槁大肉陷下胷中氣滿腹內痛心中不便肩項身熱破䐃脫肉目匡陷眞藏見目不見人立死其見人者至其所不勝之時則死
未生其火肝通心脉抵少腹上布脇肋循喉嚨之氣上入頏顙故腹痛心中不便項肩身熱破䐃脫肉也肝主目故目匡陷及不見人立死也不勝之時謂於庚辛之月此肝之藏也
急虛身中卒至五藏絕閉脉道不通氣不往來譬於墮溺不可爲期
言五

移傳其不勝則可待真藏脈見乃與死日之期急虛邪中於身內則五藏絕閉脈道不通氣不往來譬於墮墜沒溺不可與為死日之期也其脈絕不來若人一息五六至其形肉不脫真藏雖不見猶死也是則急虛卒至之脈○新校正云按人一息脈五六至何得為死必息字誤息當作呼乃是真肝脈至中外急如循刀刃責責然如按琴瑟弦色青白不澤毛折乃死真心脈至堅而搏如循薏苡子累累然色赤黑不澤毛折乃死真肺脈至大而虛如以毛羽中人膚色白赤不澤毛折乃死真腎脈至搏而絕如指彈石辟辟然色黑黃不澤毛折乃死真脾脈至弱而乍數乍疏色黃青不澤毛折乃死諸真藏脈見皆死不治也新校正云按楊上善云無餘物和雜故名真也五藏之氣皆胃氣和之不得獨用如至剛不得獨用獨用則折和柔用之即固也五藏之氣和於胃氣即得長生若真獨見必死欲知五藏真見為死和胃為生者於寸口診即可知見者如弦是肝脈也微弦為平和微弦謂二分胃氣一

[illegible]黃帝曰見真藏曰死[illegible]也岐伯曰五藏者皆稟氣於胃胃者五藏之本也胃爲[illegible]藏氣者不能自致於手太陰必因於胃氣乃至於手太陰也平人之常氣稟於胃胃氣者平人之常氣[illegible]新校正云[illegible]甲乙經云[illegible]以胃氣爲本[illegible]甲乙之文[illegible]故五藏各以其時自爲而至於手太陰也自[illegible]手太陰[illegible]故邪氣勝者精氣衰也故病甚者胃氣不能與之俱至於手太陰故真藏之氣獨見獨見者病勝藏也故曰死是所謂脉無胃氣也平人氣象論曰人無胃氣曰逆逆者死帝曰善新校正云詳自黃帝問至此一段全元起本在第四卷太陰陽明表裏篇中王氏移於此處必言此篇之旨欲明王氏之功於素問多矣黃帝曰凡治病察其形氣色澤脉之盛衰病之新故乃治之無後其時欲必先時而取之形氣相得

謂之可治氣盛形盛氣虛形虛是相得也色澤以浮謂之易已氣色浮潤血氣
相營故易已脈從四時謂之可治脈春弦夏鉤秋浮冬營謂順四時從順也脈弱
以滑是有胃氣命曰易治取之以時候可取之時而取之則萬舉萬全當
以四時血氣所在而為療尒○新校正云詳取之以時甲乙經作治之趣之無後其時與王氏之[illegible]兩通形
氣相失謂之難治形盛氣虛氣盛形虛皆相失也色夭不澤謂之難已
夭謂不明而惡不澤謂枯燥也脈實以堅謂之益甚脈實以堅是邪氣盛故益甚也脈
逆四時為不可治以氣逆故疾此四句是謂四難所以下文曰必察四難而
明告之此四粗之易[illegible]語工之所難爲所謂逆四時者春得肺脈夏得
腎脈秋得心脈冬得脾脈其至皆懸絕沉濇者命曰逆
四時春得肺脈秋來見也夏得腎脈冬來見也秋得心脈夏來見也冬得脾脈春來見也懸絕謂如懸物
之絕去也未有藏形於春夏而脈沉濇新校正云按平人氣象論云而脈瘦義與
此同秋冬而脈浮大名曰逆四時也未有謂未有藏脈之形狀也病熱

脈靜，泄而脈大，脫血而脈實，病在中脈實堅，病在外脈不實堅者，皆難治。（皆難治者，以其外證不相應也。○新校正云：按平人氣象論云：病在中脈虛，病在外脈濇堅，與此相反，此經誤，彼論為得。自未有藏形春夏至是，與平人氣象論相重，註義備於彼篇。）

黃帝曰：余聞虛實以決死生，願聞其情。岐伯曰：五實死，五虛死。（五實謂五藏之實，五虛謂五藏之虛。）帝曰：願聞五實五虛。岐伯曰：脈盛，皮熱，腹脹，前後不通，悶瞀，此謂五實。（實謂邪氣盛實。然脈盛，心也；皮熱，肺也；腹脹，脾也；前後不通，腎也；悶瞀，肝也。瞀，莫候反。）脈細，皮寒，氣少，泄利前後，飲食不入，此謂五虛。（虛謂真氣不足也。然脈細，心也；皮寒，肺也；氣少，肝也；泄利前後，腎也；飲食不入，脾也。）帝曰：其時有生者何也？岐伯曰：漿粥入胃，泄注止，則虛者活；身汗得後利，則實者活。此其候也。（全注：飲粥得入於胃，胃氣和調，其利漸止，胃氣得實，虛者得活；言實者得汗外通，後得便利，自然調平。）

○三部九候論篇第二十（新校正云：按全元起本在第一卷，篇名決死生。）

黃帝問曰：余聞九鍼於夫子，衆多博大，不可勝數。余願聞要道，以屬子孫，傳之後世，著之骨髓，藏之肝肺，歃血而受，不敢妄泄，歃血，飲血也。歃，所甲反。令合天道，新校正云：按全元起本云令合天地。必有終始，上應天光星辰歷紀，下副四時五行，貴賤更立，冬陰夏陽，以人應之奈何？願聞其方。天光，謂日月星也。歷紀，謂日月行歷於天二十八宿三百六十五度之分紀也。言以人形血氣榮衛周流，合時候之遷移，應日月之行道。然斗極旋運，黃赤道差，冬時日依黃道近南，故陰多；夏時月依赤道近北，故陽盛也。夫四時五行之氣，以王者為貴，相者為賤也。岐伯對曰：妙乎哉問也！此天地之至數。道貫精微，故云妙問。至數，謂至極之數也。帝曰：願聞天地之至數，合於人形血氣，通決死生，為之奈何？岐伯曰：天地之至數，始於一，終於九焉。九，奇數也，故天地之數斯為極矣。一者天，二者地，三者人，因而三之，三三者九，以應九野。尒雅曰：邑外為郊，郊外為甸，甸外為牧，牧外為林，林外為坰，坰外為野言其遠之也○新校正云詳王引爾雅為證與今爾雅或不同已具前六節藏象論注中坰古螢反故人有三部部有三候以決死生以處百病以調虛實而除邪疾所謂三部者言身之上中下部非謂寸關尺也三部之內經隧由之故察候存亡悉因於是鍼之補瀉邪疾可除也帝曰何謂三部岐伯曰有下部有中部有上部部各有三候三候者有天有地有人也必指而導之乃以為真言必當[illegible]受於[illegible]也徵四失論曰受師不卒妄作雜術謬言為道更名自功妄用砭石後遺身咎此其誡也禮曰疑事無質質成也上部天兩額之動脈在額兩傍動應於手足少陽脈氣所行也上部地兩頰之動脈在鼻孔下兩傍近於巨髎之分動應於手足陽明脈氣之所行上部人耳前之動脈在耳前陷者中動應於手手少陽脈氣之所行也中部天手太陰也謂肺脈也在掌後寸口中是謂經渠動應於手中部地手陽明也謂大腸脈也在手大指次指岐骨間合谷之分動應於手也中部人手少陰也謂心脈也在掌後銳骨之端神門之分動應於手也靈樞經持鍼縱舍論問曰少陰無輸心不病乎對曰其外經

而藏不病故獨取其經於學後讀骨之端正謂此經也下部天足厥陰也謂肝脈也在毛際外羊矢下一寸半陷中五里之分卧而取之動應於手也女子取大衝在足大指本節後二寸陷中是下部地足少陰也謂腎脈也在足內踝後跟骨上陷中大谿之分動應手下部人足大陰也謂脾脈也在魚腹上越筋間直五里下箕門之分寬鞏足單衣沉取乃得之而動應於手也候胃氣者當取足跗之上衝陽之分穴中脈動乃應手也○新校正云詳自上部天至此一段在當篇之末不相接此正論三部九候宜處於斯今依甫謐甲乙經編次例自篇末移置此皇故下部之天以候肝足厥陰脈行其中也地以候腎足少陰脈行其中也人以候脾胃之氣足大陰脈行其中也脾藏與胃以膜相連故以候脾兼候胃也帝曰中部之候奈何岐伯曰亦有天亦有地亦有人天以候肺手大陰脈當其處也地以候胸中之氣手陽明脈當其處也經云腸胃同候故以候胸中也入以候心手少陰脈當其處也帝曰上部以何候之岐伯曰亦有天亦有地亦有人天以候頭角之氣位在頭角之分故以候頭角之氣也地以候口齒之

氣位近口齒故以候之人以候耳目之氣以位當耳前脈抵於目外眥故以候之三

部者各有天各有地各有人三而成天新校正云詳三而成天至合為

九藏與六節藏象論文重註義具彼篇〇三而成地三而成人三而三之合

則為九九分為九野九野為九藏以是故應天地之至數故神藏

五形藏四合為九藏所謂神藏者肝藏魂心藏神脾藏意肺藏魄腎藏志也以其皆神氣

居之故云神藏五也所謂形藏者皆如器外張虛而不屈含藏於物故云形藏也所謂形藏四者一頭角二耳

目三口齒四胸中也〇新校正云詳註說神藏宣明五氣篇文又與生氣通天論註六節藏象論註重五

藏已敗其色必夭夭必死矣夭謂死色異常之候也色者神之旗藏者神之舍故

神去則藏敗藏敗則色見異常之候死也帝曰以候奈何岐伯曰必先度其

形之肥瘦以調其氣之虛實實則寫之虛則補之度謂量其

實寫虛補此所謂順天之道也老子曰天之道損有餘補不足也必先去其血脈而後

調之無問其病以平為期血脈滿堅謂邪留止故先刺去血而後乃調之不當詢問

病者盈虛要以脈氣平調爲之期準尒

帝曰決死生奈何

度形肥瘦調氣盈虛不問病人以平爲準死生之證以決之也

岐伯曰形盛脈細少氣不足以息者危

形氣相反故生氣至危玉機眞藏論曰形氣相得謂之可治今脈氣不足形盛有餘證不相扶故當危也危者言其近死由有生者也刺志論曰氣實形實氣虛形虛此其也反此者病今脈細少氣是爲氣弱體壯盛是爲形盛形盛氣弱故生氣傾危○新校正按全元起注及甲乙經脈經危並作死字

形瘦脈大胸中多氣者死

是則形氣不足脈氣有餘故死形瘦脈大胸中氣多形藏已傷故亦死也凡如是類皆形氣不相得也

形氣相得者生參伍不調者病

參謂參校伍謂類伍參校類伍而有不調謂不率其常則病也

三部九候皆相失者死

失謂氣候不相類也相失之候診凡有七七診之狀如下文云

上下左右之脈相應如參舂者病甚上下左右相失不可數者死

三部九候上下左右凡十八診也如參舂者謂大數而鼓如參舂杵之上下也脈要精微論曰大則病進故病甚也不可數者謂一息十至已上也脈法曰人一呼脈再至一吸脈亦再至曰平三至曰離經四至曰脫精五至曰死六至曰命盡今相失而不可數者是過十至

之[illegible][illegible][illegible]五[illegible]死死至十番手中部之候雖獨調與衆藏相失者死中
部之候相減者死中部左右凡六診也上部下部已不相應中部獨調固非其久減於上下
是亦氣衰故皆死也減謂偏少也○新校正云詳舊云中部之候相減者死八字按全元起注本及甲乙經無
之且注有解人之說而經闕其文此疑本王注之發也目內陷者死言太陽也太陽之脉起於
目內眥目內陷者太陽絕也故死所以言太陽者太陽主當陽之氣故獨言之帝曰何以知病
之所在岐伯曰察九候獨小者病獨大者病獨疾者病
獨遲者病獨熱者病獨寒者病獨陷下者病相失之候診凡有七
者此之謂也然脉見七診謂參伍不調隨其獨異以言其病尒以左手足上上去踝五
寸按之庶右手足當踝而彈之手足皆取之然手踝之上上手大陰脉足踝之上
足大陰脉足大陰脉主肉應於下部手大陰脉主氣應於中部是以下文云脫肉身不去者死中部乍疎乍數
者死○新校正按甲乙經及全元起注本並云以左手足上去踝五寸而按之右手當踝而彈之全元起注云
內踝之上陰交二出通於膀胱系於腎腎爲命門是以足之以明部四今文少一之字而多一庶字及足字三

[illegible]其應過五寸以上蠕蠕然者不病，[illegible]其應疾，中手渾渾然者病，中手徐徐然者病，[illegible]其應上不能至五寸，彈之不應者死，[illegible]是以脫肉身不去者死，[illegible]中部乍疏乍數者死，[illegible]其脈代而鉤者，病在絡脈，鉤謂夏脈，又夏氣在絡，故病在絡脈也。[illegible]九候之相應也，上下若一，不得相失，[illegible]一候後則病，二候後則病甚，三候後則病危。所謂後者，應不俱也。察其府藏，以知死生之期，[illegible]必先知經脈，然後知病脈，[illegible]真藏脈見者勝死。[illegible]

而逆[illegible][illegible][illegible][illegible][illegible][illegible][illegible]此五藏者謂得真藏脈而無胃[illegible]出平[illegible][illegible][illegible][illegible][illegible][illegible]胃者平人之常氣也人無胃氣[illegible]逆逆[illegible]死死[illegible][illegible]見[illegible]一死者真藏見於之精則死也[illegible]及氣[illegible][illegible][illegible][illegible][illegible]庚辛死心見壬癸死脾見甲乙死肺見丙丁死腎見戊己死是謂真藏見[illegible]足太陽氣絕者其足不可屈伸死

必戴眼足太陽脈起於目內眥上額交巔上從巔入絡腦還出別下項循肩髆內挾脊抵腰中其支者復從[illegible][illegible][illegible][illegible][illegible][illegible][illegible][illegible]下合膕中貫腨循[illegible]至足[illegible][illegible][illegible][illegible][illegible][illegible][illegible][illegible][illegible]○新校正云按診要經終論義三陽三[illegible]脈[illegible][illegible][illegible][illegible][illegible]足大陽氣絕一證[illegible]論又文也又[illegible]貴[illegible][illegible][illegible][illegible][illegible]王氏[illegible]厥論刺瘧論分作貴[illegible][illegible][illegible][illegible][illegible][illegible][illegible][illegible]非甲乙[illegible][illegible][illegible][illegible][illegible][illegible]帝曰冬陰夏陽奈何言死時也

岐伯曰九候之脈皆沉細懸絕者為陰主冬故以夜半死盛躁喘數者為陽主夏故以日中死位無常居物極則反也乾坤之文陰極則龍戰于野陽極則亢龍有悔是以陰陽極脈死於夜半日中也是故寒熱病者以平旦死亦物[illegible]則變也平曉木王木氣為風故木王之時寒熱病死生氣通天論曰因於露風乃生寒[illegible]自此則寒熱之病[illegible]風[illegible]而為也熱中及熱病者以日[illegible]死陽之[illegible][illegible]病[illegible]

者以日夕死 卯酉時也 病水者以夜半死 水王故也 其脉乍疏乍數乍遲乍疾者日乘四季死 辰戌丑未土寄王之脾氣內絕故日乘四季而死也 形肉已脫九候雖調猶死 亦謂形氣不相得也證前脫肉不去者九候雖平調亦死也 七診雖見九候皆從者不死 但九候順四時之令雖七診互見亦生矣從謂順也 所言不死者風氣之病及經月之病似七診之病而非也故言不死 風病之脉診大而數經月之病脉小以微雖候與七診之狀略同而死生之證乃異故不死也 若有七診之病其脉候亦敗者死矣 言雖七診見九候從者不死若病同七診之狀而脉應敗亂縱九候皆順猶不得生也 必發噦噫 胃精內竭神不守心故死之時發斯噦噫宣明五氣篇曰心為噫胃為噦也 必審問其所始病與今之所方病 方正也言必當原其始而要終也 而後各切循其脉視其經絡浮沉以上下逆從循之其脉疾者不病 氣強盛故 其脉遲者病 氣不足故 脉不往來者死 精神去也 皮膚著者死 骨乾枯也 帝曰

其可治者奈何岐伯曰經病者治其經孫絡病者治其孫絡血有血留止刺而去之○新校正云按甲乙經云絡病者治其絡血無二孫字血病身有痛者治其經絡鍼經曰經脉為裏支而横者為絡絡之別者為孫絡由是孫絡則經之別支而[illegible]也○新校正按甲乙經[illegible]二字其病者在奇邪奇邪之脉則繆刺之奇謂奇繆不偶之氣而與經脉繆處也由是故[illegible]身[illegible][illegible]者刺絡脉左取右右取左也留瘦不移節而刺之病氣淹留形容瘦證不移易則消息[illegible][illegible][illegible]而刺之此又重明前經無問其病以平為期者也上實下虛切而從之索其結絡脉刺出其血以見通之結謂血結於絡中也血去則經隧通矣前經云先去血脉而後調復明其結絡乃先去也○新校正云詳經文以見通之甲乙經作以通其氣瞳子高者太陽不足戴眼者太陽已絕此決死生之要不可不察也此復明前大陽氣所絕乃已絕之候也手指及手外踝上五指留鍼錯簡文也

新刊補註釋文黃帝內經素問卷之三

新刊補註釋文黃帝內經素問卷之四

○經脈別論篇第二十一 新校正云按全元起本在第四卷

黃帝問曰人之居處動靜勇怯脈亦為之變乎岐伯對曰凡人之驚恐恚勞動靜皆為變也 變謂變易常候 是以夜行則喘出於腎 腎王於夜氣合幽冥故夜行則喘息內從腎出也 淫氣病肺 夜行腎勞因而喘息氣淫不次則病肺也 有所墮恐喘出於肝 恐生於肝墮損筋血因而奔喘故出於肝 淫氣害脾 肝木妄淫害脾土也 有所驚恐喘出於肺 驚則心無所依神無所歸氣亂胸中故喘出於肺也 淫風傷心 驚則神越故氣淫反傷心矣 度水跌仆喘出於腎與骨 濕氣通腎骨腎主之故度水跌仆喘出腎骨矣跌謂足跌仆謂身倒也 跌音迭 仆音付 當是之時勇者氣行則已怯者則著而為病也 氣有勇神有餘也乃怯神不足也 故曰診病之道觀人勇怯骨肉皮膚能知其情以為診法也 通達性懷得其情狀乃審察識諸要害宜也 故飲食飽甚

汗出於胃飽甚胃滿故汗出於胃也驚而奪精汗出於心驚奪心精神氣浮越陽内薄之故汗出於心也持重遠行汗出於腎骨勞氣越腎復過疲故持重遠行汗出於腎也疾走恐懼汗出於肝暴役於筋肝氣罷極故疾走恐懼汗出於肝也故搖體勞苦汗出於脾搖體勞苦謂動作施力非疾走遠行也然動作用力則穀精四布脾化水穀故汗出於脾也故春秋冬夏四時陰陽生病起於過用此為常也不適其性而強云為過即病生此其常理五藏受氣蓋有常分用而過耗是以病生故下文曰食氣入胃散精於肝淫氣於筋肝養筋故胃散穀精之氣入於肝則浸淫滋養於筋絡矣食氣入胃濁氣歸心淫精於脈濁氣穀氣也心居胃上故穀氣歸心淫溢精微入於脈也何者心主脈故脈氣流經經氣歸於肺肺朝百脈輸精於皮毛言脈氣流運乃為大經經氣歸宗上朝於肺肺為華蓋位復居高治節由之故受百脈之朝會也平人氣象論曰藏真高於肺以行榮衛陰陽由此故肺朝百脈然乃布化精氣輸於皮毛矣毛脈合精行氣於府府謂氣之所聚處也是謂氣海在兩乳間名曰膻中也府精神明留於四

氣歸於權衡。膻中之布氣者分為三隧其下者走於氣街上者走於息道宗氣留於海積於胸中命曰氣海也如是分化乃四藏安三焦平均中外上下各得其所也

權衡以平，氣口成寸，以決死生。三世脈法皆以三寸為寸關尺之分故中外高下氣緒均平則氣口之脈而成寸也夫氣口者脈之大要會也百脈盡朝故以其分決死生也

飲入於胃，遊溢精氣，上輸於脾，水飲流下至於中焦水化精微上為雲霧雲霧散變乃注於脾靈樞經曰上焦如霧中焦如漚此之謂也

脾氣散精，上歸於肺，通調水道，下輸膀胱，水土合化上滋肺金金氣通腎故調水道轉注下焦膀胱禀化乃為溲矣靈樞經曰下焦如瀆此之謂也

水精四布，五經並行，合於四時五藏陰陽，揆度以為常也。從是水精布經氣行筋骨成血氣順配合四時寒暑證符五藏陰陽揆度盈虛用為常道度量也以用也○新校正云按一本云陰陽動靜

太陽藏獨至，厥喘虛氣逆，是陰不足陽有餘也，陰謂腎陽謂膀胱也故下文曰

表裏當俱寫，取之下俞。陽獨至謂陽氣盛至也陽盛至是陽有餘陰不足則陽邪入故表裏俱寫取足六俞也下俞足俞也○新校正云詳六當為穴字之誤也按

有六俞藏止五俞今藏書俱寫不言言六俞六俞則亦從表裏言六俞則藏府皆舉陽明藏獨至是陽氣重并也當寫陽補陰取之下俞陽氣重并故寫陽補陰少陽藏獨至是厥氣也蹻前卒大取之下俞蹻謂陽蹻脈在足外踝下足少陽脈伏抵絕骨之端下出外踝之前循足跗然蹻前卒大則少陽之氣盛也故取足俞少陽也少陽獨至者一陽之過也一陽少陽也過謂大過也以其大過故蹻前卒大焉太陰藏搏者用心省真見之陰之脈伏鼓而實用心省察之書是真藏之脈不當治也五脈氣少胃氣不平三陰也三陰太陰脾之脈也五藏[illegible]胃氣不調是太陰之過也宜治其下俞補陽寫陰以陰氣大過故一陽獨嘯少陽厥也嘯謂耳中鳴如嘯聲也膽及三焦脈皆入耳故氣逆上則耳中鳴〇新校正云詳此上明三陽此言三陰今此再言少陽而不及少陰者疑此一陽乃二陰之誤也又全元起本此為少陰厥顯知此即二陰也陽并於上四脈爭張氣歸於腎心脾肝肺四脈爭張陽并於上者是腎氣不足故氣歸於腎也宜治其經絡寫陽補陰陰氣足則陽氣不復并於上矣一陰至厥陰之治

也真虛痟心厥氣留薄發爲白汗調食和藥治在下俞一或作二誤也不陰一陰也上言二陰至則當少陰治下言厥陰治則當一陰至也書三費。之經脫久論墜人少按習字多傳寫誤也爲支反胥萎疾也帝曰太陽藏何象岐伯曰象三陽而浮也帝曰少陽藏何象岐伯曰象一陽也一陽藏者滑而不實也帝曰陽明藏何象岐伯曰象大浮也新校正云詳大書夏全元起本云象也之大浮也大陰藏搏言伏鼓也二陰搏至腎沉不浮也明素藏重之脈搏也○新校正云詳書脫二陰此象一陰闕文何知

藏氣法時論篇第二十二

新校正云按全元起本在第一卷又於第六卷脈要篇末重出

黃帝問曰合人形以法四時五行而治何如而從何如而逆得失之意願聞其事岐伯對曰五行者金木水火土也更貴更賤以知死生以決成敗而定五藏之氣間

甚之時死生之期也帝曰願卒聞之岐伯曰肝主春（以應木也）足厥陰少陽主治（厥陰肝脉少陽膽脉肝與膽合故同治）其日甲乙（甲乙爲木東方干也）肝苦急急食甘以緩之（甘性和緩○新校正云按全元起本云肝苦急是其氣有餘）心主夏（以應火也）手少陰太陽主治（少陰心脉太陽小腸脉心與小腸合故治同）其日丙丁（丙丁爲火南方干也）心苦緩急食酸以收之（酸性收斂○新校正云按全元起本云心苦緩是心氣虛）脾主長夏（長夏謂六月也夏爲土母土長於中以長而治故云長夏○新校正云按全元起云脾王四季六月是火王之處蓋以脾主中央六月是十二月之中一年之半脾王六月也故）足太陰陽明主治（太陰脾脉陽明胃脉脾與胃合故治同）其日戊己（戊己爲土中央干也）脾苦濕急食苦以燥之（苦性乾燥）肺主秋（以應金也）手太陰陽明主治（太陰肺脉陽明大腸脉肺與大腸合故治同）其日庚辛（庚辛爲金西方干也）肺苦氣上逆急食苦以泄之（苦性宣泄故肺用之○新校正云按全元起云肺氣上逆是其氣有餘）腎主冬（以應水也）足少陰太陽主

治少陰腎脈太陽膀胱脈腎與膀胱合故治同其日壬癸壬癸為水北方干也腎苦燥急食辛以潤之開腠理致津液通氣也辛性津潤也腠理開津液達則肺氣下流腎與肺通故云通氣也病在肝愈於夏子制其鬼也餘皆同夏不愈甚於秋子休鬼復王也餘皆同秋不死持於冬鬼休而母養故氣執皆持於父母之鄉也故同起於春自得其位故復起餘同禁當風以風氣通於肝故禁而勿犯肝病者愈在丙丁丙丁應夏丙丁不愈加於庚辛庚辛應秋庚辛不死持於壬癸壬癸應冬起於甲乙應春木也肝病者平旦慧下晡甚夜半靜木王之時故爽慧也金王之時故加甚也水王之時故靜退也餘藏准此同其義小異肝欲散急食辛以散之以藏氣當散故以辛發散也陰陽應象大論曰辛甘發散為陽也平人氣象論曰藏真散於肝言其常發散也用辛補之酸寫之辛味散故補酸味收故寫新校正云按全元起本云用酸補之辛寫之自為一義病在心愈在長夏長夏不愈甚於冬冬不死持於春起於夏如前說也禁溫食熱衣熱則心躁故禁止之

溫

心病者愈在戊己（戊己應長夏也）戊己不愈加於壬癸（壬癸應冬）壬癸不死持於甲乙（甲乙應春）起於丙丁（應夏火也）心病者日中慧夜半甚平旦靜（木休王之氣也）心欲耎急食鹹以耎之（以藏氣好耎故以鹹柔耎也平人氣象論曰藏真通於心故其性欲柔耎也）用鹹補之甘寫之（鹹補取其柔耎甘寫取其緩氣）病在脾愈在秋秋不愈甚於春春不死持於夏起於長夏禁溫食飽食濕地濡衣（溫濕及飽並傷脾氣故禁止之）脾病者愈在庚辛（應秋氣也）庚辛不愈加於甲乙（應春氣也）甲乙不死持於丙丁（應夏氣）起於戊己（應長夏也）脾病者日昳慧日出甚（新校正云按甲乙經日出作平旦雖日出與平旦時等據前文言木王之時皆云平旦而不云日出蓋日出於冬夏之期有早晚不若平旦之為行也）下晡靜（土王則爽慧木剋則增甚金扶則靜退亦休王之義也一本或云日中時者謬也凡五藏之病皆以勝相加至其所生而愈至其所不勝而甚至於所生而持自得其位而起由是故皆有閒甚之時死生之期也）脾欲緩急食甘以緩之（甘性和緩）

順其靜也用苦寫之甘補之苦寫取其堅燥甘補取其安緩病在肺愈在冬冬不愈甚於夏夏不死持於長夏起於秋例如肝也禁寒飲食寒衣肺惡寒氣故衣食禁之寒惡經曰形寒寒飲則傷肺飲尚傷肺况食居爲肺不獨惡寒亦畏熱也肺病者愈在壬癸應冬水也壬癸不愈加於丙丁應夏火也丙丁不死持於戊己長夏土也起於庚辛應秋金也肺病者下晡慧日中甚夜半靜金王則慧水王則靜火王則甚肺欲收急食酸以收之以酸性收斂也用酸補之辛寫之酸收斂故補辛發散故寫病在腎愈在春春不愈甚於長夏長夏不死持於秋起於冬例如肝也禁犯焠烪熱食溫炙衣腎性惡燥[illegible]故此禁之○新校正云按別本[illegible]作焠音對反[illegible]烏來反須熱也腎病者愈在甲乙應春木也甲乙不愈甚於戊己長夏土也戊己不死持於庚辛應秋金也起於壬癸應冬水也腎病者夜半慧四季甚下晡靜水王則慧土王則甚金王則靜腎欲堅急食苦以堅

之（以苦性堅燥也）用苦補之鹹寫之（苦補取其堅也鹹寫取其耎也耎[illegible]土[illegible]也故用寫）

夫邪氣之客於身也以勝相加（邪者不正之目風寒暑濕飢飽勞逸皆是邪也非唯鬼毒疫癘也）至其所生而愈（謂至己所生也）至其所不勝而甚（謂至剋己之氣也）至於所生而持（謂至生己之氣也）自得其位而起（居所王處謂自得其位也）必先定五藏之脈乃可言間甚之時死生之期也（五藏之脈者謂肝弦心鉤肺浮腎營脾代知是則可言死生間甚矣三部九候論曰必先知經脈然後知病脈此之謂也）

肝病者兩脇下痛引少腹令人善怒（肝厥陰脈自足而上環陰器抵少腹又上貫肝鬲布脇肋故兩脇下痛引少腹也其氣實則善怒靈樞經曰肝氣實則怒）虛則目䀮䀮無所見耳無所聞善恐如人將捕之（肝厥陰脈自脇肋循喉嚨入頏顙連目系膽少陽脈其支者從耳後入耳中出走耳前至目銳眥後故病如是也恐謂恐懼魂不安也）取其經厥陰與少陽（經謂經脈也非其絡病故取其經也取·厥陰以治肝氣取少陽以調氣逆也故下文曰）氣逆則頭痛耳聾不聰頰腫（肝厥陰脈自目系上

[illegible]與督脈會於巔故頭痛[illegible]少陽脈支別者從耳中出走耳前[illegible]者加頰[illegible]入厥陰之脈支別者從目系下頰裏故耳聾不聰頰腫[illegible]也足以上之氣取少陽也取血者[illegible]常視乃氣血盛之經絡[illegible]

有心病者，胸中痛，脇支滿，脇下痛，膺背肩甲間痛，兩臂內痛。心少陰脈支別者[illegible]又手心主之脈[illegible]出脇下腋三寸上抵腋下之下循臑內行太陰少陰之間入肘中[illegible]

虛則胸腹大，脇下與腰相引而痛。[illegible]

取其經少陰太陽舌下血者。[illegible]

其變病，刺郄中血者。[illegible]

脾病者，身重善肌肉痿，足不收，行善瘈，腳下痛。[illegible]

[illegible]腹滿腸鳴

飧泄食不化[illegible]

[illegible]取其經太陰陽明少陰血者[illegible]

[illegible]肺病者喘欬逆氣肩背痛[illegible]

[illegible]出尻陰股[illegible]髀腨胻足[illegible]

皆痛[illegible]

[illegible]虛

則少氣不能報息耳聾嗌乾[illegible]

[illegible]

取其經太陰之太陽之外厥陰內血者

足太陽之外厥陰內者，正謂腨內側內踝後之直上，則少陰脈也。視左右足脈少陰部分有血滿異於常者，即而取之。

腎病者，腹大脛腫，新校正云：按《甲乙經》云腹大脛腫。喘咳身重，寢汗出，憎風，

腎少陰脈起於足而上循腨，復從橫骨中俠齊循腹裏上行而入肺，故腹大脛腫而喘咳也。腎病則骨不能用，故身重也。腎邪攻肺，心氣內微，心液為汗，故寢汗出也。胻既腫矣，汗復津泄，陰凝玄府，陽爍上焦，內熱外寒，故憎風也。

虛則胸中痛，大腹小腹痛，清厥，意不樂，

足少陰脈從腎上貫肝鬲入肺中，其支別者，從肺出絡心，注胸中。然腎氣既虛，心無所制，心氣熏肺，故痛聚胸中也。足太陽脈從項下行而至足，腎虛則太陽之氣不能盛行於足，故足冷而氣逆也。清，謂氣清冷。厥，謂氣逆也。以清冷氣逆，故大腹小腹痛。志不足則神躁擾，故不樂也。

取其經，少陰太陽血者。

凡刺之道，虛則補之，實則瀉之，不盛不虛，以經取之，是謂得道。經絡有血，刺而去之，是謂守法。猶當揣形定氣，先去血脈，而後乃平有餘不足焉。

[illegible]

肝色青，宜食甘，粳米牛肉棗葵皆甘。

甘[illegible]

心色赤，宜食酸，[illegible]小豆、犬肉、李、韭皆酸。[illegible]

肺色白，宜食苦，麥、羊肉、杏、薤皆苦。[illegible]

脾色黃，宜食鹹，大豆、豕肉、栗、藿皆鹹。[illegible]

腎色黑，宜食辛，黃黍、雞肉、桃、葱皆辛。[illegible]

辛散，酸收，甘緩，苦堅，鹹耎。[illegible]

毒藥攻邪，[illegible]

新校正云按本草云下藥為佐使主治病以應地多毒不可久服欲除寒熱邪氣破積聚愈疾者本下經故云

毒藥攻邪五穀為養謂粳米小豆麥大豆黃黍也五果為助謂桃李杏栗棗也五

畜為益謂牛羊豕犬雞也五菜為充謂葵藿薤葱韭也○新校正云按五常政大論曰大

毒治病十去其六常毒治病十去其七小毒治病十去其八無毒治病十去其九穀肉果菜食養盡之無使過

之傷其正也氣味合而服之以補精益氣氣為陽化味曰陰施氣味合和則補

益精氣矣陰陽應象大論曰陽為氣陰為味味歸形形歸氣氣歸精精歸化精食氣形食味又曰形不足者溫

之以氣精不足者補之以味由是則補精益氣其義可知○新校正云按孫思邈云精以食氣氣養精以榮色

形以食味味養形以生力精順五氣以為靈也若食氣相惡則傷精也形受味以成也若食味不調則損形也

是以聖人先用食禁以存性後制藥以防命氣味溫補以存精形此之謂氣味合而服之以補精益氣也此

五者有辛酸甘苦鹹各有所利或散或收或緩或急或

堅或耎四時五藏病隨五味所宜也用五味而調五藏配肝以甘心以酸

脾以鹹肺以苦腎以辛者各隨其宜欲緩欲收欲耎欲泄欲散欲堅而為用非以相生相養而為義也

○宣明五氣篇第二十三新校正云按全元起本在第一卷

五味所入酸入肝肝合木而味酸也辛入肺肺合金而味辛也苦入心

心合火而味苦也鹹入腎腎合水而味鹹也甘入脾脾合土而味甘也○新校正云按太

素又云淡入胃是謂五入新校正云按至真要大論云夫五味入胃各歸所喜故酸先入肝苦先入

心甘先入脾辛先入肺鹹先入腎五氣所病心為噫象火炎上煙隨焰出心不受穢故噫

出之肺為欬象金堅勁扣之有聲邪擊於肺故為欬也欬苦蓋反肝為語象木枝條而形支別

語宣委曲故出於肝脾為吞象土包容物歸於內翕如皆受故為吞也翕音吸腎為欠為

嚏象水下流上生雲霧氣鬱於胃故欠生焉太陽之氣和利而滿於心出於鼻則生嚏嚏音帝胃為

氣逆為噦為恐以為本穀之海腎與為關關閉不利則氣逆而上行也以包容水穀性喜受寒

寒穀相薄故為噦也寒盛則噦起熱盛則恐生何者胃熱則腎氣微弱故為恐也下文曰精氣并於腎則恐也

噦呼會反烏聲也大腸小腸為泄下焦溢為水大腸為傳道之所小腸為受盛

之府受盛之氣既虛傳道之司不禁故為泄利也下焦為分注之所氣窒不寫則溢而為水窒陟栗反膀

胱不利為癃，不約為遺溺。膀胱為津液之府，水注由之。然足三焦脈實，約下焦而不通，則不得小便；足三焦脈虛，不約下焦，則遺溺也。靈樞經曰：足三焦者，太陽之別也，並太陽之正，入絡膀胱，約下焦，實則閉癃，虛則遺溺。膽為怒。中正決斷，無私無偏，其性剛決，故為怒也。六節藏象論曰：凡十一藏取決於膽也。是謂五病。○五精所并：精氣并於心則喜，精氣謂火之精氣也。肺虛而心精并之則為喜。靈樞經曰：喜樂無極則傷魄，魄為肺神，明心火并於肺金也。并於肺則悲，肝虛而肺氣并之則為悲。靈樞經曰：悲哀動中則傷魂，魂為肝神，明肺金并於肝木也。并於肝則憂，脾虛而肝氣并之則為憂。靈樞經曰：愁憂不解則傷意，意為脾神，明肝木并於脾土也。并於脾則畏，一經云飢也。腎虛而脾氣并之則為畏為畏懼也。靈樞經曰：恐懼而不解則傷精，精為腎神，明脾土并於腎水也。并於腎則恐，心虛而腎氣并之則為恐。靈樞經曰：怵惕思慮則傷神，神為心主，明腎水并於心火也。怵惕驚懼也。此皆正氣不足而勝氣并之，乃為是矣。故下文曰：是謂五并，虛而相并者也。○五藏所惡：心惡熱，熱則脈潰濁。肺惡寒，寒則氣留滯。肝惡風，風則筋燥急。脾惡濕，濕則肉痿腫。腎惡燥，燥則精竭涸。○

新校正云按楊上善云若今則云肺惡燥今此肺惡寒腎惡燥者燥在於秋寒之始也寒在於冬燥之終也肺在於秋以肺惡寒之甚故言其終腎在於冬腎惡不甚故言其始也是謂五惡○五藏化液心為汗泄於皮腠也肺為涕潤於鼻竅也肝為淚注於眼目也脾為涎溢於脣口也腎為唾生於牙齒也是謂五液○五味所禁辛走氣氣病無多食辛病謂力少不自勝也鹹走血血病無多食鹹苦走骨骨病無多食苦新校正云按皇甫士安云鹹先走腎此云走血者腎合三焦血脉雖屬肝心而為中焦之道故鹹入而走血也苦走心此云走骨者水火相濟骨氣通於心也甘走肉肉病無多食甘酸走筋筋病無多食酸是皆為行其氣速故不欲多食多食則病甚故病者無多食也是謂五禁無令多食新校正云按太素五禁云肝病禁辛心病禁鹹脾病禁酸肺病禁苦腎病禁甘名此為五裁楊上善云口嗜而欲食之不可多也必自裁之命曰五裁

○五病所發陰病發於骨陽病發於血陰病發於肉骨肉陰靜故陽氣從之血脉陽動故陰氣乘之陽病發於冬陰病發於夏夏陽氣盛故陰

病發於夏冬陽氣盛故陽病發於冬各隨其少也是謂五發○五邪所亂邪入
於陽則狂邪入於陰則痺邪居於陽脉之中則四支熱盛故爲狂邪入於陰脉之內
則六經凝泣而不通故爲痺泣音澁搏陽則爲巔疾邪內搏於陽則脉流薄疾故爲上巔之疾
搏陰則爲瘖邪內搏於陰則脉不流故令瘖不能言新校正云按難經云重陽者狂重陰者癲
巢元方云邪入於陰則爲癲脉經云陰附陽則狂陽附陰則癲孫思邈云邪入於陽則爲狂邪入於陰則爲血
痺邪入於陽傳則爲癲痙邪入於陰傳則爲痛瘖全元起云邪已入陰復傳於陽邪氣盛府藏受邪使其氣不
朝榮氣不復周身邪與正氣相擊發動爲癲疾邪已入陽陽今復傳於陰藏府受邪故不能言是勝正也諸家
之論不同今具載之陽入之陰則靜陰出之陽則怒隨所之而爲疾也之往也
新校正云按全元起云陽入陰則爲靜出則爲恐千金方云陽入於陰病靜陰出於陽病怒是謂五
亂○五邪所見春得秋脉夏得冬脉長夏得春脉秋得
夏脉冬得長夏脉名曰陰出之陽病善怒不治是謂五
邪皆同命死不治新校正云按陰出之陽病善怒已見前條此再言之文義不倫必古文錯

藏也○五藏所藏心藏神精氣之化成也靈樞經曰兩精相搏謂之神肺藏魄精氣之匡佐也靈樞經曰並精而出入者謂之魄肝藏魂神氣之輔弼也靈樞經曰隨神而往來者謂之魂脾藏意記而不忘者也靈樞經曰心有所憶謂之意腎藏志專意而不移者也靈樞經曰意之所存謂之志腎受五藏六府之精元氣之本生成之根爲胃之關是以志意則命通○新校正云按楊上善云腎有二枚左爲腎藏志右爲命門藏精也是謂五藏所藏○五藏所主心主脉壅遏榮氣應息而動也肺主皮包裹筋肉閉扞禦邪也肝主筋束絡機關隨神而運也脾主肉覆藏筋骨通行衛氣也腎主骨藏精化髓幹以立身也是謂五主○五勞所傷久視傷血勞於心也久卧傷氣勞於肺也久坐傷肉勞於脾也久立傷骨勞於腎也久行傷筋勞於肝也是謂五勞所傷○五脉應象肝脉弦耎虛而滑端直以長也心脉鉤如鉤之偃來盛去衰也脾脉代耎而弱也肺脉毛輕浮而虛如毛羽也腎脉石沉堅而搏如石之投也是謂五藏之脉

○血氣形志篇第二十四新校正云按全元起本此篇併在前篇王氏分出為別篇

夫人之常數太陽常多血少氣少陽常少血多氣陽明常多氣多血少陰常少血多氣厥陰常多血少氣太陰常多氣少血此天之常數氣血多少氣天之常數故用鍼之道常寫其多也○新校正云按甲乙經十二經水篇云陽明多血多氣刺深四分留十呼太陽多血多氣刺深五分留七呼少陽少血多氣刺深四分留五呼太陰多血少陰刺深三分留四呼少陰少血多氣刺深二分留三呼厥陰多血少氣刺深一分留二呼太陽太陰血氣多少與素問不同又陰陽二十五人形性血氣不同篇與素問同盡皇甫疑而兩存之也是太陽與少陰為表裏少陽與厥陰為表裏陽明與太陰為表裏是為足陰陽也手太陽與少陰為表裏少陽與心主為表裏陽明與太陰為表裏是為手之陰陽也今知手足陰陽所苦凡治病必先去其血乃去其所苦伺之所欲然後寫有餘補不足先去其血謂見血脉盛滿獨異於常

者乃去之不謂當刺則先去其血也欲知背俞先度其兩乳間中折之更以他草度去半已即以兩隅相拄也乃舉以度其背令其一隅居上齊脊大椎兩隅在下當其下隅者肺之俞也度謂度量也言以草量其乳間四分去一使斜與橫等折為三隅以上隅齊脊大椎則兩隅下當肺俞也拄知俞反復下一度心之俞也謂以上隅齊脊三推也復下一度左角肝之俞也右角脾之俞也復下一度腎之俞也是謂五藏之俞灸刺之度也靈樞經及中誥咸云肺俞在三推之傍心俞在五推之傍肝俞在九推之傍脾俞在十一推之傍腎俞在十四推之傍尋此經草量之法則合度之人其初度兩隅之下約當肺俞再度兩隅之下約當心俞三度兩隅之下約當七推七推之傍乃鬲俞之位此經云左角肝之俞右角脾之俞殊與中誥等經不同又四度則兩隅之下約當九推九推之傍乃肝俞也經云腎俞未究其源形樂志苦病生於脉治之以灸刺形謂身形志謂心志細而言之則七神殊守通而論之則約形志以為中外爾然形樂謂不甚勞役志苦謂結慮深思不甚勞役則筋骨平調結慮深思則榮衛乖否氣

血不順故病生於脉焉夫盛寫虛補是灸刺之道猶當去其血絡而後調之故上文曰凡治病必先去其血乃去其所苦伺之所欲然後寫有餘補不足則其義也形樂志樂病生於肉治之以鍼石志樂謂悅懌忘憂也然筋骨不勞心神悅懌則肉理相比氣道滿塡衛氣怫結故病生於肉也夫衛氣留滿以鍼寫之結聚膿血石而破之石謂石鍼則砭石也今亦以鈹針代之鈹音鼓形苦志樂病生於筋治之以熨引形苦謂修業就役也然修業以為就役而作一過其用則致勞傷勞用以傷故病生於筋熨謂藥熨引謂導引形苦志苦病生於咽嗌治之以百藥修業就役結慮深思憂則肝氣并於脾肝與膽合嗌為之使故病生於嗌也宣明五氣篇曰精氣并於肝則憂奇病論曰肝者中之將也取決於膽咽為之使也〇新校正云按甲乙經咽嗌作困竭百藥作甘藥形數驚恐經絡不通病生於不仁治之以按摩醪藥驚則脉氣并恐則神不收脉并神遊故經絡不通而為不仁之病矣夫按摩者所以開通閉塞導引陰陽醪藥者所以養正祛邪調中理氣故方之為用宜以此焉醪藥者酒藥也不仁謂不應其用則一痺矣是謂五形志也刺陽明出血氣刺太陽出血惡氣刺少陽出氣

惡血刺太陰出氣惡血刺少陰出氣惡血刺厥陰出血惡氣也明前三陽三陰血氣多少之刺約○新校正云按太素云刺陽明出血氣刺太陰出血氣楊上善註云陽明太陰雖為表裏其血氣俱盛故並寫血氣如是則太陰與陽明等俱為多血多氣前文太陰一云多血少氣一云多氣少血莫可的知詳太素血氣並寫之旨則二說俱未為得自與陽明同今又此刺陽明一節宜續前寫有餘補不足下不當隔在草度法五形志後

○寶命全形論篇第二十五

新校正云按全元起本在第六卷名刺禁

黃帝問曰天覆地載萬物悉備莫貴於人人以天地之氣生四時之法成天以德流地以氣化德氣相合而乃生焉易曰天地絪縕萬物化醇此之謂也則假以溫涼寒暑生長收藏四時運行而方成立君王衆庶盡欲全形貴賤雖殊然其寶命一矣故好生惡死者貴賤之常情也形之疾病莫知其情留淫日深著於骨髓心私慮之新校正云按太素慮作患余欲鍼除其疾病為之奈何虛邪之中人微先見于色不知于身有形無形故莫知其情狀也留而不去淫衍日深邪氣襲

虛故著於骨髓帝矜不度故請行其鍼。新校正云按別本不度作不庶岐伯對曰夫鹽之
味鹹者其氣令器津泄也鹹謂鹽之味苦浸淫而潤物者也夫鹹為苦而生鹹從水而有
水也潤下而苦泄故能令器中水津液潤滲泄焉凡虛中而受物者皆謂之器其於体外則謂陰囊其於身
中所同則謂膀胱矣然以病配於五藏則心氣伏於腎中而不去乃為是矣何者腎象水而味鹹心合火而味苦
苦流汗液鹹走胞囊火為水持故陰囊之外津潤如汗而滲泄不止也凡鹹之為氣天陰則潤在土則浮在人
則囊濕而皮膚剝起弦絕者其音嘶敗陰囊津液而脉絃絕者診當言音嘶嗄敗易舊聲尒
何者肝氣傷也肝氣傷則金本缺金本缺則肺氣不全肺主音聲故言音嘶嗄[illegible]所嫁反木敷者其
葉發敷布也言木氣散布外榮於所部者其病當發於肺葉之中也何者以木氣發散故也平人氣象論
曰藏眞散於肝肝又合木也病深者其聲噦噦謂聲濁惡也肺藏惡血故如是也人有
此三者是謂壞府府謂胸也以肺處胸中故也壞謂損壞其府而取病也抱朴子云仲景開
胸以納赤餅由此則胷可啓之而取病矣三者謂脉弦絕肺葉發聲濁噦也毒藥無治短鍼
無取此皆絕皮傷肉血氣爭黑病內潰於肺中故毒藥無治外不在於經絡故

短劉無取是以絕皮傷肉乃寒之以墨血氣之腑氣交爭故當血見而色黑也○新校正云詳岐伯之對與黃帝所問不相當別按太素云夫鹽之味鹹者其氣令器津泄弦絕者其音嘶敗木陳者其葉落病深者其聲噦人有此三者是謂壞府毒藥無治短鍼無取此皆絕皮傷肉血氣爭黑三字與此經不同而注意大異楊上善注云言欲知病微者須知其候鹽之在於器中津液泄於外見津而知鹽之有鹹也聲嘶知琴瑟之絃將絕葉落者知陳木之已蠹聲噦三[illegible][illegible]之徵以此[illegible][illegible]識病深之候人有聲噦同三譬者是爲府壞之候中府壞者病之深也其病既深故針藥不能取以其皮肉血氣各不相得故也再詳上善作此等注義方與黃帝上下問答義相貫穿王氏解鹽鹹器津義雖淵微至於註說音嘶木數葉發殊不與帝問相協考之不若楊義之得多也

帝曰：余念其痛，心爲之亂惑反甚，其病不可更代，百姓聞之，以爲殘賊，爲之柰何？殘謂殘害賊謂損劫言忍涉於不仁致慄於黎庶也

岐伯曰：夫人生於地，懸命於天，天地合氣，命之曰人。形假物成故生於地命惟天賦故懸於天德氣同歸故謂之人也靈樞經曰天之在我者德地之在我者氣德流氣薄而生者也然德者道之用氣者生之母也人能應四時者，天地爲之父母；

內經 四

十三

人能應四時和氣而養生者天地恒畜養之故爲父母四氣調神大論曰夫四時陰陽者萬物之根本也所以聖人春夏養陽秋冬養陰以從其根故與萬物沉浮於生長之門也知萬物者謂之天子知萬物之根本者天地常育養之故謂曰天之子天有陰陽人有十二節節謂節氣外所以應十二月內所以主十二經脈也天有寒暑人有虛實寒暑有盛衰之紀虛實表多少之殊故人以虛實應天寒暑也能經天地陰陽之化者不失四時知十二節之理者聖智不能欺也經常也言能常應順天地陰陽之道而修養者則合四時生長之宜能知十二節氣之所遷至者雖聖智亦不欺侮而奉行之也能存八動之變五勝更立能達虛實之數者獨出獨入呿吟至微秋毫在目存謂心存達謂明達呿謂欠呿吟謂吟嘆秋毫在目言細必察也八動謂八節之風變動五勝謂五行之氣相勝立謂當其王時變謂氣至而變易知是三者則應效明著速猶影響此自神之獨出獨入亦非聖靈能召遣也○新校正云按楊上善云[illegible]袪遽反謂露齒出氣帝曰人生有形不離陰陽天地合氣別爲九野分爲四時月有小大日有短

長萬物並至，不可勝量，虛實呿吟，敢問其方。請說所鍼之意

岐伯曰：木得金而伐，火得水而滅，土得木而達，金得火而缺，水得土而絕，萬物盡然，不可勝竭。達，通也。言物類雖不可竭盡，而數要之皆如五行之氣，而有勝負之性分爾。

故鍼有懸布天下者五，黔首共餘食，莫知之也。言鍼之道，有若高懸示人，彰布於天下者五矣，而百姓共知餘食，咸棄蔑之，不務於本而崇乎末，莫知真要深在其中。所謂五者，次如下句。○新校正云：按全元起本"餘食"作"飽食"，注云：人愚不解陰陽，不知鍼之妙，飽食終日，莫能知其妙益。又《太素》作"飲食"，楊上善注云：黔首共服用此道，然不能得其意。[illegible]音鈐。

一曰治神，專精其心，不妄動亂也。所以云手如握虎，神無營於衆物，蓋欲調治精神，專其心也。○新校正云：按楊上善云：存生之道，知此五者以為攝養，可得長生也。魂神意魄志以為神主，故皆名神。欲為鍼者，先須治神。故人無悲哀動中則魂不傷，肝得無病，秋無難也；無怵惕思慮則神不傷，心得無病，冬無難也；無愁憂不解則意不傷，脾得無病，春無難也；無喜樂不極則魄不傷，肺得無病，夏無難也；無盛怒者則志不傷，腎得無病，季夏無難也。是以五過不起於心，則神清性明；五神各安其藏，則壽延遐算也。

二曰知養

身知養己身之法亦如養之道矣陰陽應象大論曰用鍼者以我知彼用之不殆此之謂也○新校正云按太素身作形楊上善云飲食男女節之以限風寒暑濕攝之以時有異單豹外凋之害即內養形也實慈恕以愛人和塵勞而不迹有殊張毅高門之傷即外養形也內外之養周備則不求生而久生無期壽而長壽此則鍼布養形之極也玄元皇帝曰太上養神其次養形詳王氏之注專治神養身於用鍼之際其說甚狹不若上善之說為優若必以此五者解為用鍼之際則下文知毒藥為真王氏於下文用鍼為解也三曰知毒藥為真毒藥攻邪順宜而用正真之道其在茲乎四曰制砭石小大古者以砭石為鍼故不舉九鍼但言砭石爾當制其大小者隨病所宜而用之○新校正云按全元起云砭石者是古外治之法有三名一鍼石二砭石三鑱石其實一也古來未能鑄鐵故用石為鍼故名之鍼石言工必砥礪鋒利制其小大之形與病相當黃帝造九鍼以代鑱石上古之治者各隨方所宜東方[illegible]生於東方五曰知府藏血氣之診諸陽為府諸陰為藏故血氣形志篇曰太陽多血少氣少陽少血多氣陽明多氣多血少陰少血多氣厥陰多血少氣太陰多氣少血是以刺陽明出血氣刺太陽出血惡氣刺少陽出氣惡血刺太陰出氣惡血刺少陰出氣惡血刺厥陰出血惡氣也[illegible]

五法俱立，各有所先。[illegible]今末世之刺[illegible]者實之，滿者泄之，此皆衆工所共知也。若夫法天則地，隨應而動，和之者若響，隨之者若影，道無鬼神，獨來獨往。[illegible]帝曰：願聞其道。岐伯曰：凡刺之真，必先治神，[illegible]五藏已定，九候已備，後乃存鍼，[illegible]衆脈不見，衆凶弗聞，外內相得，無以形先，[illegible]可玩往來，乃施於人。[illegible]人有虛實，五虛勿近，五實勿遠，至其當發，間不容瞚。[illegible]

則如響應而指所不及遲速之殊有如此矣○新校正云按甲乙經曜作燿全元起本及太素作曜[illegible]音[illegible]

手動若務鍼耀而勻手動用針心如專務於一事也針經曰一其形聽其動靜而知邪正此之謂也針耀而勻謂針形光淨上下勻平也

靜意視義觀適之變是謂冥冥莫知其形冥冥言血氣變化之不可見也故靜意視息以義斟酌觀所調適經脈之變易爾雖且針用意精微而測量之猶不知變易形容誰為其象也○新校正云按八正神明論云觀其冥冥者言形氣榮衛之不形於外而工獨知之以日之寒溫月之虛盛四時氣之浮沉參伍相合而調之工常先見之然而不形於外故曰觀於冥冥焉

見其烏烏見其稷稷從見其飛不知其誰烏烏歎其氣至稷稷嗟其已應言所針得失如從空中見飛鳥之往來豈復知其所使之元主耶是但見經脈盈虛而為信亦不知其誰之所召遣爾

伏如橫弩起如發機血氣之未應針則伏如橫弩之安靜其應針也則起如機發之迅疾

帝曰何如而虛何如而實言血氣既伏如橫弩起如發機然其虛實豈留呼而可為準定耶虛實之形何如而約之

岐伯曰刺虛者須其實刺實者須其虛言要以氣至有效而為約不必守息數而為定法也經氣已

至慎守勿失無變法而失經氣也深淺在志遠近若一如臨深淵手如握虎神無營於衆物言精心專一也所鍼經脉雖深淺不同然其補寫皆如一計之專志也手如握虎神不外營焉○新校正云按鍼解論云刺實須其虛者留鍼陰氣隆至乃去鍼也刺虛須其實者陽氣隆至針下熱乃去針也經氣已至慎守勿失者勿變更也深淺在志者知病之內外也近遠如一者深淺其候等也如臨深淵者不敢墮也手如握虎者欲其壯也神無營於衆物者靜志觀病人無左右視也

○八正神明論篇第二十六

新校正云按全元起本在第二卷又與太素知官能篇大意同文勢小異

黃帝問曰用鍼之服必有法則焉今何法何則服事也法象也則準也約也岐伯對曰法天則地合以天光謂合日月星辰之行度帝曰願卒聞之岐伯曰凡刺之法必候日月星辰四時八正之氣氣定乃刺之候日月者謂候日之寒溫月之空滿也星辰者謂先知二十八宿之分應水漏刻者也略而言之常以日加之於宿上則知人氣在太陽否日行日舍人氣在三陽與陰分矣細而

言之從房至畢十四宿水下五十刻半日之度也從昴至心亦十四宿水下五十刻終日之度也是故從房至畢者為陽從昴至心者為陰陽主晝陰主夜也凡日行一舍故水下三刻与七分刻之四也靈樞經曰水下一刻人氣在太陽水下二刻人氣在少陽水下三刻人氣在陽明水下四刻人氣在陰分水下不止氣行亦尒又曰日行一舍人氣行於身一周与十分身之八日行二舍人氣行於身三周於十分身之六日行三舍人氣行於身五周与十分身之四日行四舍人氣行於身七周与十分身之二日行五舍人氣行於身九周然日行二十八舍人氣亦行於身五十周与十分身之四由是故必假日月星辰也四時八正之氣者謂四時正氣八節之風來朝於太一者也謹候其氣之所在而刺之氣定乃刺之者謂八節之風氣靜定乃可以刺經脈調虛實也故曆忌云八節前後各五日不可刺灸凶是則謂氣未定故不可灸刺也○新校正云按八節風朝太一具天元玉冊中

是故天溫日明則人血淖液而衛氣浮故血易寫氣易行天寒日陰則人血凝泣而衛氣沉泣謂如水中居雪也【音】數最反多也月始生則血氣始精衛氣始行月郭滿則血氣實肌肉堅月郭空則肌肉減經絡虛衛氣去形獨居是

以因天時而調血氣也是以天寒無刺（血凝澀而衛氣沉也）天溫無疑（血淖液而氣易行也）月生無寫月滿無補月郭空無治是謂得時而調之（謂得天時也）因天之序盛虛之時移光定位正立而待之（候日遷移定氣所在南面正立待氣至而調之也）故日月生而寫是謂藏虛（血氣弱也○新校正云按全元起本藏作減藏當作藏）月滿而補血氣揚溢絡有留血命曰重實（絡亦為經誤血氣盛也留一為流非也）月郭空而治是謂亂經陰陽相錯真邪不別沉以留止外虛內亂淫邪乃起（氣失紀故淫邪起）帝曰星辰八正何候岐伯曰星辰者所以制日月之行也（制謂制定星辰則可知日月行之制度矣略而言之周天二十八宿宿三十六分人氣行一周天凡一千八分周身十六丈二尺以應二十八宿合漏水百刻都行八百一十丈以分晝夜也故人十息氣行六尺日行二分二百七十息氣行十六丈二尺一周於身水下二刻日行二十分五百四十息氣行再周於身水下四刻日行四十分二千七百息氣行十周於身水下二十刻日行五宿二十分

分[illegible]晝[illegible]五百息氣行[illegible]身水下百刻日行二十八宿也細而書之則常以一十周加之一[illegible]又十分分之大乃奇分盡矣是故星辰所以制日月之行度也〇新校正云詳周天二十八宿至日分二千八宿也本靈樞文今具甲乙經中

八正者所以候八風之虛邪以時至者也八正謂八節之正氣也八風者東方嬰兒風南方大弱風西方剛風北方大剛風東北方凶風東南方弱風西南方謀風西北方折風也虛邪謂乘人之虛而為病者也以時至謂天應太一移居以八節之前後風朝中宮而至者也〇新校正云詳大一移居風朝中宮義具天元玉冊

四時者所以分春秋冬夏之氣所在以時調之也八正之虛邪而避之勿犯也四時之氣所在者謂春氣在經脈夏氣在孫絡秋氣在皮膚冬氣在骨髓也然觸冒虛邪頂傷身氣避而勿犯乃不病焉靈樞經曰聖人避邪如避矢石蓋以其能循真氣也

以身之虛而逢天之虛兩虛相感其氣至骨入則傷五藏以虛感虛同氣而相薄也工候救之弗能傷也候知而止故能傷之故上詳故曰天忌不可不知也人忌於天故云天忌犯之則病故不可不知也

帝曰善其法星辰者余聞之矣願

聞法往古者岐伯曰法往古者先知鍼經也驗於來今者先知日之寒温月之虛盛以候氣之浮沉而調之於身觀其立有驗也候氣不差故立有驗觀其冥冥者言形氣榮衛之不形於外而工獨知之明前篇靜意視義觀適之變是謂冥冥莫知其形也雖形氣榮[illegible]不形見於外而工以心神明悟獨得知其衰盛焉善惡悉可[illegible]之○新校正云按前篇乃寶命全形論以日之寒温月之虛盛四時氣之浮沉參伍相合而調之工常先見之然而不形於外故曰觀於冥冥焉二所以氣先見者何哉以守法而神通明也[illegible]通於無窮者可以傳於後世也是故工之所以異也法著故可傳後世後世不絕則應用通於無窮矣以獨見知故工所以異於人也然而不形見於外故俱不能見也工異於粗者以粗俱不能見也視之無形嘗之無味故謂冥冥若神髣髴言形氣榮衛不形於外以不可見故視無形嘗無味伏如横弩起如[illegible]機窈窈冥冥莫知元主謂如神運髣髴焉若如也髣音彷髴音[illegible]虛

邪者，八正之虛邪氣也。八正之虛邪，謂八節之虛邪也。以從虛之鄉來，襲虛而入爲病，故謂之八正虛邪。正邪者，身形若用力，汗出腠理開，逢虛風，其中人也微，故莫知其情，莫見其形。正邪者，不從虛之鄉來也。以中人也微，故莫知其情意，莫見其形狀。上工救其萌牙，必先見三部九候之氣，盡調不敗而救之，故曰上工。下工救其已成，救其已敗。救其已成者，言不知三部九候之相失，因病而敗之也。義備離合真邪論中。知其所在者，知診三部九候之病脈處而治之，故曰守其門戶焉，莫知其情而見邪形也。三部九候爲候邪之門戶也。守門戶，故見邪形。以中人微，故莫知其情狀也。帝曰：余聞補寫，未得其意。岐伯曰：寫必用方，方者，以氣方盛也，以月方滿也，以日方溫也，以身方定也，以息方吸而內鍼，乃復候其方吸而轉鍼，乃復候其方呼而徐引鍼，故曰寫必用方，其氣而行焉（方猶正也。寫邪氣出，則真氣流行矣。）補必用員，員者行也，行者移也，（行謂宣不行之氣，令必宣行。移謂移未復之脉，俾其平復。）刺必中其榮，復以吸排鍼也。（鍼入至血，謂之中榮。）故員與方，非鍼也。（所言方員者，非謂鍼形，正謂行移之義也。）故養神者，必知形之肥瘦，榮衛血氣之盛衰。血氣者，人之神，不可不謹養。（神安則壽延，神去則形弊，故不可不謹養也。）帝曰：妙乎哉論也！合人形於陰陽四時，虛實之應，冥冥之期，其非夫子孰能通之。然夫子數言形與神，何謂形？何謂神？願卒聞之。（神謂神識通達，形謂形智可觀。）岐伯曰：請言形，形乎形，目冥冥，問其所病，（新校正云：按《甲乙經》作捫其所痛，義亦通。）索之於經，慧然在前，按之不得，不知其情，故曰形。（外隱其無形，故目冥冥而不見；內藏其有象，故以詮而可索於經也。慧然在前，按之不得，言三部九候之中，卒然逢之，不可為之期準也。離合真邪論曰：在陰與陽，不可為度。從而察之，三部九候，卒然逢之，早遏其路。此其義也。）帝曰：何謂神？岐伯曰：請言神，神乎神耳不聞目明心開而志先慧然獨悟口弗能言俱視獨見適若昏昭然獨明若風吹雲故曰神耳不聞言神用之微密也目明心開而志先者言心之通如昏昧開卷目之見如氣翳開明神華內融志已先往矣慧然謂清爽也悟獨了達也慧然獨悟口弗能言者謂心中清爽而了達口不能宣吐以寫心也俱視獨見適若昏者歎見之異速也言與衆俱視我忽獨見適猶若昏昧亦既獨見了心眼昭然獨能明察若雲隨風卷日麗天明至哉神乎妙用如是不可得而言也三部九候為之原九鍼之論不必存也以三部九候經脈為之本原則可通神悟之妙用若以九鍼之論僉議則其旨推傳其知彌遠矣故曰三部九候為之原九鍼之論不必存也

○離合真邪論篇第二十七新校正云按全元起本在第一卷名經合第二卷重出名真邪

黃帝問曰余聞九鍼九篇夫子乃因而九之九九八十一篇余盡通其意矣經言氣之盛衰左右傾移以上調

下以左調右有餘不足補寫於榮輸余知之矣此皆榮衛之傾移虛實之所生非邪氣從外入於經也余願聞邪氣之在經也其病人何如取之奈何岐伯對曰夫聖人之起度數必應於天地故天有宿度地有經水人有經脈宿謂二十八宿度謂天之三百六十五度也經水者謂海水涇水渭水湖水沔水汝水江水淮水漯水河水漳水濟水也以其內合經脈故名之經水焉經脈者謂手足三陰三陽之脈所以言者以內外參合人氣應通故言之也○新校正云按甲乙經云足陽明外合於海水內屬於胃足太陽外合於涇水內屬膀胱足少陽外合於渭水內屬於膽足太陰外合於湖水內屬於脾足厥陰外合於沔水內屬於肝足少陰外合於汝水內屬於腎手陽明外合於江水內屬於大腸手太陽外合於淮水內屬於小腸手少陽外合於漯水內屬於三焦手太陰外合於河水內屬於肺手心主外合於漳水內屬於心包手少陰外合於濟水內屬於心天地溫和則經水安靜天寒地凍則經冰凝泣天暑地熱則經水沸溢卒風暴起則經水波涌而隴起大經脈亦應之夫

邪之入於脉也，寒則血凝泣，暑則氣淖澤，虛邪因而入客，亦如經水之得風也，經之動脉，其至也亦時隴起，其行於脉中循循然，循循然順動貌言隨順經脉之動息因循[illegible]之[illegible]來但形狀或異耳猶[illegible]高[illegible][illegible]波淪又[illegible]其至寸口中手也，時大時小，大則邪至，小則平，其行無常處，大謂大常平之形診小者非細小之謂也以其比大則謂之小若無大以[illegible]則自是平常之經氣耳[illegible]入[illegible]經因其陰陽更[illegible]入[illegible]脉故[illegible]行[illegible][illegible]也在陰與陽，不可為度，以隨經脉[illegible][illegible]從而察之，三部九候，卒然逢之，早遏其路，逢謂逢遇遏謂遏絕三部之中九候之位卒然逢遇當按而止之即而寫之逕路既絕則大邪之氣無能為也所謂[illegible][illegible][illegible]下[illegible][illegible]吸則內鍼，無令氣忤，靜以久留，無令邪布，吸則轉鍼，以得氣為故，候呼引鍼，呼盡乃去，大氣皆出，故命曰寫。按經也言先補真氣乃寫其邪也何以言之下文補法[illegible][illegible][illegible]內針靜[illegible]以入其[illegible][illegible][illegible][illegible]受則內鍼[illegible][illegible][illegible][illegible][illegible][illegible]呼[illegible][illegible]次[illegible][illegible][illegible][illegible][illegible][illegible][illegible]半內針[illegible][illegible][illegible][illegible][illegible][illegible]之理復一則

[illegible]

曰不足者補之奈何岐伯曰必先捫而循之切而散之推而按之彈而怒之抓而下之通而取之外引其門以閉其神

[illegible]

之多數而便去鍼也鍼經曰刺之而氣不至無問其數刺之氣至去之勿復鍼此之謂也無問息數以爲遲速之約要當以氣至而鍼去不當以鍼下氣未至而鍼出乃更爲也如待所貴不知日暮諭人事於候氣也暮晚也其氣以至適而自護適調適也護慎守也言氣以平調則當慎守勿令改變使疾更生也鍼經曰經氣已至慎守勿失此其義也所謂慎守當如下說○新校正云詳王氏引鍼經之言乃素問寶命全形論文兼見于鍼解論耳候吸引鍼氣不得出各在其處推闔其門令神氣存大氣留止故命曰補正言也外門已閉神氣復存候吸引鍼大氣不泄補爲義斷可知焉然此大氣謂大經之氣流行榮衛者帝曰候氣奈何謂候可取之氣也岐伯曰夫邪去絡入於經也舍於血脈之中繆刺論曰邪之客於形也必先舍於皮毛留而不去入舍於孫脈留而不去入舍於絡脈留而不去入舍於經脈故云去絡入於經也其寒溫未相得如涌波之起也時來時去故不常在以周遊於十六丈二尺經脈之分故不常在所候之處也故曰方其來也必按而止之止而取之無逢其衝而寫之衝謂應水

刻數之平氣也靈樞經曰水下一刻人氣在太陽水下二刻人氣在少陽水下三刻人氣在陽明水下四刻人氣在陰分然氣在太陽則太陽獨盛氣在少陽則少陽獨盛夫見獨盛者便謂邪來以針寫之則反傷真氣故下文曰真氣者經氣也經氣大虛故曰其來不可逢此之謂也經氣應刻乃謂為邪工若寫之則深誤也故曰其來不可逢故曰候邪不審大氣已過寫之則真氣脫脫則不復邪氣復至而病益蓄不悟其邪反誅無罪則真氣泄脫邪氣復侵經氣大虛故病彌蓄積故曰其往不可追此之謂也已隨經脈之流去不可復追召使還不可挂以髮者待邪之至時而發鍼寫矣言輕微而有尚且知之況者涌數不知其至也若先若後者血氣已盡其病不可下言不可氣而取矣時也○新校正云按全元起本作血氣已虛盡字當作虛字誤也之故曰知其可取如發機不知其取如扣椎故曰知機道者不可挂以髮不知機者扣之不發此之謂也機者動之微言貴知其微也帝曰補寫奈何岐伯曰此攻邪也疾出

以去盛血而復其真氣視有血者乃取之此邪新客溶溶未有定處也推之則前引之則止逆而刺之溫血也言邪之新客未有定居推鍼補之則隨補而前進若引鍼致之則隨引而留止也若不出盛血而反溫之則邪氣內勝反增其害故下文曰刺出其血其病立已帝曰善然真邪以合波隴不起候之奈何岐伯曰審捫循三部九候之盛虛而調之盛者寫之虛者補之不盛不虛以經取之則其法也察其左右上下相失及相減者審其病藏以期之氣之在陰則候其氣之在於陰分而刺之氣之在陽則候其氣之在於陽分而刺之是謂逢時鍼經曰水下一刻人氣在太陽水下四刻人氣在陰分也積刻不已氣亦隨在周而復始故審其者氣以期其氣而刺之不知三部者陰陽不別天地不分地以候地天以候天人以候人調之中府以定三部故曰刺不知三部九候病脈之處雖有大過且至工不能禁也禁謂禁止也然候不之夷有未能知病處雖禁止其疾害事誅罰無過命曰

大惑反亂大經真不可復用實爲虛以邪爲真用鍼無義反爲氣賊奪人正氣以從爲逆榮衛散亂真氣已失邪獨內著絕人長命予人天殃不知三部九候故不能久長識非精辨學未該明又爲氣賊動爲殘害因不知合之四時五行因加相勝釋邪攻正絕人長命非惟昧三部九候之爲弊若不知四時五行之氣序亦足以殞絕其生靈也邪之新客來也未有定處推之則前引之則止逢而寫之其病立已[illegible]

○通評虛實論篇第二十八新校正云按全元起本在第四卷

黃帝問曰何謂虛實岐伯對曰邪氣盛則實精氣奪則虛奪謂精氣減少如奪去也帝曰虛實何如言五藏虛實之太略也岐伯曰氣虛者肺虛也氣逆者足寒也非其時則生當其時則死非時謂年直之前後也當時謂正直之年也餘藏皆如此[illegible]帝曰何謂重

實岐伯曰所謂重實者言大熱病氣熱脈滿是謂重實

帝曰經絡俱實何如何以治之岐伯曰經絡皆實是寸脈急而尺緩也皆當治之故曰滑則從濇則逆也脈急謂脈口也夫虛實者皆從其物類始故五藏骨肉滑利可以長久也物之生則滑利物之死則枯濇故濇爲逆滑爲從從謂順也

帝曰絡氣不足經氣有餘何如岐伯曰絡氣不足經氣有餘者脈口熱而尺寒也秋冬爲逆春夏爲從治主病者春夏陽氣高故脈口熱尺中寒高謂高也十二經十五絡各隨左右而有太過不足工當尋其至中應以鍼艾故云治主病者也

帝曰經虛絡滿何如岐伯曰經虛絡滿者尺熱滿脈口寒濇也此春夏死秋冬生也秋冬陽氣下故尺中熱脈口寒爲順也

帝曰治此者奈何岐伯曰絡滿經虛灸陰刺陽經滿絡虛刺陰灸陽以經分主陰絡分主陽分主經故耳

帝曰何謂重虛此又問重虛也岐伯曰脈

氣上虛尺虛是謂重虛言尺寸脈俱虛○新校正云按甲乙經作脈虛氣虛尺虛是謂
重虛此少一虛字多一上字王注言尺寸脈俱虛則不象氣虛也詳前熱病氣熱脈滿為重實此脈虛氣虛尺虛為重虛是脈與氣俱實為重實俱逆為重虛不但尺寸俱虛為重虛也
帝曰何以治之岐伯曰所謂氣虛者言無常也尺虛者行步恇然寸虛則脈動無
常尺虛則行步恇然不足○新校正云按楊上善云氣虛者重中氣不定也王謂寸虛則脈動無常非也
脈虛者不象陰也不象太陰之候也何以言之氣口者脈之要會手太陰之動也
如此者滑則生濇則死也帝曰寒氣暴上脈滿而實何如言氣熱脈
滿已謂重實滑則從濇則逆今氣寒脈滿亦可謂重實乎其於滑濇生死逆從何如
岐伯曰實而滑則生實而逆則死逆謂濇也○新校正云詳王氏以逆為濇大非古文簡略辭多互文
上言滑而下言逆舉滑則從可知言逆則濇可見非謂逆為濇也
帝曰脈實滿手足寒頭熱何如岐伯曰春秋則生冬夏則死大略言之夏手足寒非病也是
夏行冬令夏得則冬死冬脈實滿頭熱亦非病也是冬行夏令冬得則夏亡反冬夏以言之則皆不死春秋得

之是病故生死[illegible]寺之孟月也皆脈浮而濇，濇而身有熱者死。新校正云按甲[illegible][illegible]錯續於此舊在後帝曰形度骨度脈度筋度何以知其度也下對問義不相類王氏頗知其錯簡而不知[illegible]首主安當移附於此[illegible]去後條移從於此

帝曰：其形盡滿何如？岐伯曰：其形盡滿者，脈急大堅，尺濇而不應也。形盡滿謂四形藏盡滿也○新校正云按甲乙經太素濇作滿如是者，從則生，逆則死。帝曰：何謂從則生，逆則死？岐伯曰：所謂從者，手足溫也；所謂逆者，手足寒也。

帝曰：乳子而病熱，脈懸小者何如？懸謂如懸物之動也岐伯曰：手足溫則生，寒則死。新校正云按太素無手字楊上善云足溫氣下故生脈寒氣不下者逆而致死

帝曰：乳子中風熱，喘鳴肩息者，脈何如？岐伯曰：喘鳴肩息者，脈實大也，緩則生，急則死。緩謂如縱緩急謂如弦張之急非往來之緩急也正理傷寒論曰緩則中風故乳子中風脈緩則生急則死

帝曰：腸澼便血何如？岐伯曰：身熱則死，寒則生。熱為血敗故死寒為營氣在故生

帝曰：腸

澼下白沫何如岐伯曰脉沉則生脉浮則死陰病而見陽脉與證相反故死帝曰腸澼下膿血何如岐伯曰脉懸絶則死滑大則生帝曰腸澼之屬身不熱脉不懸絶何如岐伯曰滑大者曰生懸濇者曰死以藏期之所見庚辛死心見壬癸死肺見丙丁死腎見戊己死脾見甲乙死是謂以藏期之帝曰癲疾何如岐伯曰脉搏大滑久自已脉小堅急死不治脉小堅急為陰陽病而見陰脉故死不治○新校正云按巢元方云脉沉小急實死不治小牢急亦不可治死帝曰癲疾之脉虛實何如岐伯曰虛則可治實則死以反證故帝曰消癉虛實何如岐伯曰脉實大病久可治脉懸小堅病久不可治久病血氣衰脉不當實大故不可治○新校正云詳經言實大病久可治注意以為不可治按甲乙經太素全元起本並云可治又按巢元方云脉數大者生細小浮者死又云沉小者生實牢大者死[illegible]徒丹反勞病也帝曰形度骨度脉度筋度何以知其度也形度具二備經筋度脉度骨度並具在靈樞經

中問亦合在彼經篇首錯簡也一經以此問逆從論首非也帝曰：春亟治經絡，夏亟治經俞，秋亟治六府，冬則閉塞。閉塞者，用藥而少鍼石也。亟猶急也閉塞謂氣之門戶閉塞也所謂少鍼石者，非癰疽之謂也，冬月雖氣門閉塞然癰疽氣烈內作大膿不急寫之則爛筋腐骨故雖冬月亦宜針石以開除之癰疽不得頃時回。所以癰疽之病冬月猶得用針石者何此病須時回轉之間過而不寫則內爛筋骨穿通藏府癰不知所，按之不應手，乍來乍已，刺手太陰傍三痏與纓脈各二。但覺似有癰疽之候不的知發在何處故按之不應手也乍來乍已言不定痛於一處也手太陰傍足陽明脈謂胸部氣戶等六穴之分也纓脈亦足陽明脈也近纓之脈故曰纓脈纓謂冠帶也以有左右故云各二掖癰大熱，刺足少陽五，刺而熱不止，刺手心主三，刺手太陰經絡者大骨之會各三。大骨會肩也謂肩貞穴在肩髃後骨解間陷者中暴癰筋緛，隨分而痛，魄汗不盡，胞氣不足，治在經俞。癰若暴發隨脈所過筋怒緛急肉分中痛汗液滲泄如不盡兼胞氣不足者悉可以本經脈式俞穴論篇之○新校正云按此二條舊散在篇中今移校相從腹暴滿按之不下取太陽經絡者胃之募也太陽為手太陽也手太陽經絡之所生故取中脘穴即胃之募也中誥曰中脘胃募也居蔽骨與齊之中手太陽少陽足陽明脈所生故云經絡者胃募也○新校正云按甲乙經云取太陽經絡血者則已無胃之募也等字又楊上善云足太陽其說各不同未知孰是少陰俞去脊椎三寸傍五用員利鍼謂取足少陰俞外去脊椎三寸兩傍穴各五痏也少陰俞謂第十四椎下兩傍腎之俞也○新校正云按甲乙經云用員利鍼刺已如食頃久立已必視其經之過於陽者數刺之霍亂刺俞傍五○霍亂者取少陰俞傍志室穴新校正云按楊上善云刺王[illegible]亂俞傍[illegible]取之足陽明及上傍三足陽明言胃俞也取胃俞兼取少陰俞外兩傍向上第三穴則胃倉穴也刺癇驚脈五謂陽陵泉在膝上外陷者中也鍼手太陰各五刺經太陽五刺手少陰經絡傍者一足陽明一上踝五寸刺三鍼經太陽謂足太陽也手太陰五謂魚際穴在手大指本節後內側散脈經太陽五謂承山穴在足腨腸下分肉間陷者中也手少陰經絡傍者謂支正穴在腕後同身寸之五寸骨上下肉分間手太陽

謂別走少陰者足陽明一者謂解谿穴在足腕上腓者
中也上梁五十謂足少陽絡光明穴按內經明堂中誥
圖經悉主霍亂各具明文○新校正云按別本注云悉
不主霍亂未詳所謂又按甲乙經太素刺癰驚脈五至
此為刺驚癇王註為刺霍亂者王註非也凡治消癉仆擊偏枯痿厥氣滿發
逆肥貴人則高梁之疾也隔則閉絕上下不通則暴憂
之病也暴厥而聾偏塞閉不通內氣暴薄也不從內外
中風之病故瘦留著也蹠跛寒風濕之病也消謂內消癉謂伏熱
厥謂氣逆高膏也粱也蹠謂足也夫肥者令人熱中
甘者令人中滿故熱氣內薄發為消偏枯氣滿逆也
逆者謂違背常候與平人異也然愁憂者氣閉塞而不
行故隔塞否閉氣脈斷絕而上下不通也氣固於內則
大小便道偏不得通泄也何者藏府氣不化禁固而不
宣散故爾外風中人伏藏不去則陽氣內受為熱外燔
肌肉消爍故留薄肉分消瘦而皮膚著於筋骨也濕勝
於足則筋不利寒勝於足則攣急風濕寒勝則衛氣結
聚衛氣結聚則肉痛故足
跛而不可履也蹠之石反黃帝曰黃疸暴痛癲疾厥狂
久逆之所生也五藏不平六府閉塞之所生也頭痛耳

鳴九竅不利腸胃之所生也足之三陽從頭走足然久厥逆而不下行則氣鬱積於上焦故爲黃疸暴痛癲狂氣逆矣食飲失宜生冷過節故六府閉塞而令五藏之氣不和平也腸胃否塞則氣不順序氣不順序則上下中外互相勝負故頭痛耳鳴九竅不利也

〇太陰陽明論篇第二十九新校正云按全元起本在第四卷

黃帝問曰太陰陽明爲表裏脾胃脉也生病而異者何也脾胃藏府皆合於土病生而異故問不同岐伯對曰陰陽異位更虛更實更逆更從或從內或從外所從不同故病異名也脾藏爲陰胃府爲陽陽脉下行陰脉上行陽脉從外陰脉從內故言所從不同病異名也〇新校正云按楊上善云春夏陽明爲實太陰爲虛秋冬太陰爲實陽明爲虛即更實更虛也春夏太陰爲逆陽明爲從秋冬陽明爲逆太陰爲從即更逆更從也帝曰願聞其異狀也岐伯曰陽者天氣也主外陰者地氣也主內是所謂陰陽異位也故陽道實陰道虛是所謂更實更虛也故犯賊風虛邪者陽受之食飲不節起居不時者

之是所謂或從內或從外也陽受之則入六府陰受之則入五藏入六府則身熱不時臥上為喘呼入五藏則䐜滿閉塞下為飧泄久為腸澼是所謂所從不同病異名也故喉主天氣咽主地氣故陽受風氣陰受濕氣同氣相求爾故陰氣從足上行至頭而下行循臂至指端陽氣從手上行至頭而下行至足是所謂更逆更從也靈樞經曰手之三陰從藏走手手之三陽從手走頭足之三陽從頭走足足之三陰從足走腹所行而異故更逆更從也故曰陽病者上行極而下陰病者下行極而上此言其大凡爾然足少陰脉下行則不同諸陰之氣也故傷於風者上先受之傷於濕者下先受之陽氣炎上故受風陰氣潤下故受濕蓋同氣相合故爾帝曰脾病而四支不用何也岐伯曰四支皆稟氣於胃而不得至經新校正云按太素至經作徑至楊上善云胃以水穀資四支不能徑至四支要因於脾得水穀精液營衛於四支必因於脾乃得稟也脾氣布化水穀精液

四支乃以稟受[illegible]今脾病不能爲胃行其精液四支不得稟水穀氣日以衰脈道不利筋骨肌肉皆無氣以生故不用焉帝曰脾不主時何也肝主春心主夏肺主秋腎主冬四藏皆有正應而脾無正主也岐伯曰脾者土也治中央常以四時長四藏各十八日寄治不得獨主於時也脾藏者常著胃土之精也土者生萬物而法天地故上下至頭足不得主時也治主也著謂常約著於胃也土氣於四時之中各於季終寄王十八日則五行之氣各王七十二日以終一歲之日矣外主四季則在人內應於手足也帝曰脾與胃以膜相連耳新校正云按太素作以募相逆楊上善云脾陰胃陽脾內胃外其位各異故相逆也而能爲之行其津液何也岐伯曰足太陰者三陰也其脈貫胃屬脾絡嗌故太陰爲之行氣於三陰陽明者表也胃是脾之表也五藏六府之海也亦爲之行氣於三陽藏府各因其經而受氣於陽明故

爲胃行其津液四支不得稟水穀氣日以益衰陰道不利筋骨肌肉無氣以生故不用焉又覆明脾主四支之義也

○陽明脉解篇第三十新校正云按全元起本在第三卷

黄帝問曰足陽明之脉病惡人與火聞木音則惕然而驚鍾鼓不爲動聞木音而驚何也願聞其故前篇言入大府則身熱不時卧上爲喘呼然陽明者胃脉也今病不如前篇之旨而反聞木音而驚故問其異也岐伯對曰陽明者胃脉也胃者土也故聞木音而驚者土惡木也陰陽書曰木尅土故土惡木也帝曰善其惡火何也岐伯曰陽明主肉其脉新校正云按甲乙經脉作肌血氣盛邪客之則熱熱甚則惡火帝曰其惡人何也岐伯曰陽明厥則喘而惋惋則惡人惋熱内鬱故惡人煩○新校正云按脉解云欲獨閉戶牖而處何也陰陽相搏陽盡陰盛故獨閉戶牖而處[illegible]烏[illegible]反帝曰或喘而死者或喘而生者何也岐伯曰厥

逆連藏則死連經則生經謂經脈藏謂五神藏所以連藏則死者神去故也帝曰善病甚則棄衣而走登高而歌或至不食數日踰垣上屋所上之處皆非其素所能也病反能者何也素本也踰垣謂蓋墻也雖其猶異於常【音】音予歧伯曰新校正云按脈解云陰陽爭而外并於陽四支者諸陽之本也陽盛則四支實實則能登高也陽受氣於四支故四支爲諸陽之本也帝曰其棄衣而走者何也棄不用也歧伯曰熱盛於身故棄衣欲走也帝曰其妄言罵詈不避親踈而歌者何也歧伯曰陽盛則使人妄言罵詈不避親踈而不欲食不欲食故妄走也足陽明胃脈下鬲屬胃絡脾足太陰脾脈入腹屬脾絡胃上鬲俠咽連舌本散舌下故病如是

補註釋文黃帝内經素問卷之四

補註釋文黃帝內經素問卷之五

○熱論篇第三十一

新校正云按全元起本在第五卷

黃帝問曰今夫熱病者皆傷寒之類也或愈或死其死皆以六七日之間其愈皆以十日已上者何也不知其解願聞其故寒者冬氣也冬時嚴寒萬類深藏君子固密不傷於寒觸冒之者乃名傷寒其傷於四時之氣皆能為病以傷寒為毒者最乘殺厲之氣中而即病名曰傷寒不即病者寒毒藏於肌膚至夏至前變為溫病夏至後變為熱病然其發起皆為傷寒致之故曰熱病者皆傷寒之類也○新校正云按傷寒論云至春變為溫病至夏變為暑病與王注異王注本素問為說傷寒論本陰陽大論為說故此不同岐伯對曰巨陽者諸陽之屬也巨大也大陽之氣經絡氣血榮衛於身故諸陽氣皆所宗其脈連於風府風府穴名也在項上入髮際同身寸之一寸宛宛中是故為諸陽主氣也足大陽脈浮氣之在頭中者凡五行故號主諸陽之氣人之傷於寒也則為病熱熱雖甚不死寒毒薄於肌膚陽氣不得散發而內怫結故傷寒者反為病熱

其兩感於寒而病者必不免於死藏府相應而俱受寒謂之兩感帝曰願聞其狀謂非兩感者之形證岐伯曰傷寒一日巨陽受之三陽之氣太陽脈浮脈浮者外在於皮毛故傷寒一日太陽先受之故頭項痛腰脊強上文云其脈連於風府所絡言也細而言之者足太陽脈從巔入絡腦還出別下項循肩髆內俠脊抵腰中故頭項痛腰脊強○新校正云按甲乙經及太素作頭項腰脊皆強二日陽明受之以陽感熱同氣相求故自太陽入陽明也陽明主肉其脈俠鼻絡於目故身熱目疼而鼻乾不得臥也身熱者以肉受邪胃中熱煩故不得臥餘隨脈絡之所生也三日少陽受之少陽主膽新校正云按全元起本膽作骨元起注云少陽者肝之表肝候筋筋會於骨是少陽之氣所榮故言主於骨甲乙經太素等並作骨其脈循脇絡於耳故胸脇痛而耳聾三陽經絡皆受其病而未入於藏者故可汗而已以病在表故可汗也○新校正云按全元起本藏作府元起注云傷寒之病始入皮膚之腠理漸勝於諸陽而未入府故須汗發其寒熱而散之太素亦作府四日太陰受之陽極而陰受也太陰脈

布胃中絡於嗌，故腹滿而嗌乾。五日少陰受之，少陰脈貫腎絡於肺，繫舌本，故口燥舌乾而渴。六日厥陰受之，厥陰脈循陰器而絡於肝，故煩滿而囊縮。三陰三陽、五藏六府皆受病，榮衛不行，五藏不通，則死矣。死猶斷也，言精氣皆斷也。是以其死皆病六七日間者，此也。[illegible]悉欲反。其不兩感於寒者，七日巨陽病衰，頭痛少愈；邪氣漸退，經氣漸和，故少愈。八日陽明病衰，身熱少愈；九日少陽病衰，耳聾微聞；十日太陰病衰，腹減如故，則思飲食；十一日少陰病衰，渴止不滿，舌乾已而嚏；十二日厥陰病衰，囊縱，少腹微下，大氣皆去，病日已矣。大氣謂大邪之氣也。是故其愈皆病十日已上者，以此也。帝曰：治之奈何？岐伯曰：治之各通其藏脈，病日衰已矣。其未滿三日者，可汗而已；其滿三日者，可泄而已。此言表裏之大體也。正理傷寒論曰：脈大浮數，病為在表，可發其汗。

脉細沉數病在裏可下之由此則雖日過多但有表証而脉大浮數猶宜汗之日數雖少即有裏証而脉細沉數猶宜下之正應隨脉証以汗下之帝曰熱病已愈時有所遺者何也邪氣衰去不盡如遺之在人也岐伯曰諸遺者熱甚而強食之故有所遺也若此者皆病已衰而熱有所藏因其穀氣相薄兩熱相合故有所遺也帝曰善治遺奈何岐伯曰視其虛實調其逆從可使必已矣審其虛實而補寫之則必已帝曰病熱當何禁之岐伯曰病熱少愈食肉則復多食則遺此其禁也是謂熱食勞也熱雖少愈猶未盡除脾胃氣虛故未能消化肉堅食駐故熱復生復謂復舊病也帝曰其病兩感於寒者其脉應與其病形何如岐伯曰兩感於寒者病一日則巨陽與少陰俱病則頭痛口乾而煩滿新校正云按傷寒論云煩滿而渴二日則陽明與太陰俱病則腹滿身熱不欲食譫言譫言謂妄謬而不次也○新校正云按楊上善云多言也譫之閻切

三日則少陽與厥陰俱病則耳聾囊縮而厥水漿不入不知人六日死巨陽與少陰為表裏陽明與太陰為表裏少陽與厥陰為表裏故兩感寒氣同受其帝曰五藏已傷六府不通榮衛不行如是之後三日乃死何也岐伯曰陽明者十二經脉之長也其血氣盛故不知人三日其氣乃盡故死矣以上承氣海故三日氣盡乃死凡病傷寒而成溫者先夏至日者為病溫後夏至日者為病暑暑當與汗皆出勿止此以熱多少盛衰而為義也陽熱未盛為寒所制故為病曰溫陽熱大盛寒不能制故為病曰暑然暑病者當與汗之令愈勿反止之令其甚也○新校正云按凡病傷寒已下全元起本在奇病論中王氏移於此楊上善云冬傷於寒輕者夏至以前發為溫病冬傷於寒甚者夏至以後發為暑病

○刺熱篇第三十二新校正云按全元起本在第五卷

肝熱病者小便先黄腹痛多卧身熱肝之脉環陰器抵少腹而上故小便

不通先黄腹痛多卧也寒薄生熱身故熱焉熱爭則狂言及驚脇滿痛手足躁不得安卧經絡雖已受熱而神藏猶未納邪正相薄故云爭也餘爭同此又肝之脉從少腹上俠胃貫鬲布脇肋循喉嚨之後絡舌本故狂言脇滿痛也肝性靜而主驚駭故病則驚手足躁擾卧不得安庚辛甚甲乙大汗氣逆則庚辛死肝主木庚辛為金金尅木故甚死於庚辛也甲乙為木故大汗於甲乙刺足厥陰少陽厥陰肝脉少陽膽脉其逆則頭痛員員脉引衝頭也肝之脉自舌本循喉嚨之後上出額與督脉會於巔故頭痛員員然脉引衝於頭中也員員謂似急也心熱病者先不樂數日乃熱夫所以任治於物者謂心病氣入於經絡則神不安治故先不樂數日乃熱也熱爭則卒心痛煩悶善嘔頭痛面赤無汗心手少陰脉起於心中其支別者從心系上俠咽小腸之脉直行者循咽下鬲抵胃其支別者從缺盆循頸上頰至目外眥故卒心痛煩悶善嘔頭痛面赤也心在液為汗今病熱故無汗以出〇新校正云按甲乙經外眥作兌眥王注厥論亦作兌眥外當作兌壬癸甚丙丁大汗氣逆則壬癸死心主火壬癸為水水滅火故甚死於壬癸也丙丁為火故大汗於丙丁氣逆之

誤經闕其文也刺手少陰太陽少陰心脈太陽小腸脈脾熱病者先頭重頰痛煩心顏青欲嘔身熱胃之脈起於鼻交頞中下循鼻外入上齒中還出俠口環脣下交承漿卻循頤後下廉出大迎循頰車上耳前過客主人循髮際至額顱故先頭重頰痛顏青也脾之脈支別者復從胃別上鬲注心中其直行者上鬲俠咽故煩心欲嘔而身熱也○新校正云按甲乙經太素云脾熱病先頭重頰痛顏青二字熱爭則腰痛不可用俛仰腹滿泄兩頷痛胃之脈支別者起胃下口循腹裏下至氣街中而合以下髀氣街者腰之前故腰痛也脾之脈入腹屬脾絡胃又胃之脈自交承漿分行循頤後下廉出大迎循頰車故腹滿泄而兩頷痛頷胡廉反甲乙甚戊己大汗氣逆則甲乙死脾主土甲乙爲木木剋土故甚死於甲乙也戊己爲土故大汗於氣已[illegible]逆之證經所未論刺足太陰陽明太陰脾脈陽明胃脈○新校正云按甲乙經熱病下篇云熱病先頭重頰痛煩心身熱熱爭則腰痛不可用俛仰腹滿泄兩頷痛甚暴泄善饑而不欲食善噫熱中足清腹脹食不化善嘔泄有膿血苦嘔無所出先取三里後取太白章門肺熱病者先淅然厥起毫毛惡風寒舌上黃身熱肺主皮膚外養於毛故熱中之時先淅然

惡風寒起毫毛也肺之脈起於中焦下絡大腸還循胃口今肺熱入胃胃熱上升故舌上黃而身熱熱爭

則喘欬痛走胸膺背不得大息頭痛不堪汗出而寒肺居

鬲上氣主胸膺中之府故背[illegible]欬[illegible]欬又[illegible]氣主手又背復身[illegible]不得[illegible]也肺之絡脈

會耳中今熱氣上[illegible]故膺痛不甚汗出而寒丙丁甚庚辛大汗氣逆則丙丁

死肺主金丙丁為火火爍金[illegible]甚於丙丁也辛為金故大汗於庚辛也[illegible]逆之証[illegible]本也刺手

大陰陽明出血如大豆立已[illegible]陰[illegible]脈[illegible]乃大腸[illegible]當[illegible]者乃[illegible]而出

之腎熱病者先腰痛䯒痠苦渴[illegible]身熱[illegible]時內之脈從[illegible]之脈從脊

甚之中又天身骨之府技先[illegible]又下之膂自循內[illegible]又發下上貫肝鬲入

腸之中[illegible]使舌本上[illegible]之[illegible]身之天[illegible]音上[illegible]尸[illegible]則項痛而強䯒寒

且痠足下熱不欲言

之下諸內之[illegible]之[illegible]出下之[illegible]又出於[illegible]腎[illegible]起[illegible]於之[illegible]別下項延心又出於之

者[illegible]上開[illegible]入[illegible]中[illegible]使舌本故項痛其[illegible]上[illegible]內又其[illegible]行

正[illegible]云[illegible]甲乙經[illegible]作[illegible]然[illegible]也[illegible]

其逆則項痛員員

澹澹然腎之脉循脊內貫脊上至項，其脉令膀胱之脉從巔下項，故項痛員員澹澹然也。澹澹，謂似欲不定也。戊己甚，壬癸大汗，氣逆則戊己死。腎主水，戊己爲土，土刑水，故甚死於戊己也。壬癸爲水，故大汗於壬癸。刺足少陰太陽。少陰，腎脉；太陽，膀胱脉。諸汗者，至其所勝日汗出也。氣王日爲所勝，王則勝邪，故各當其王日汗。

肝熱病者，左頰先赤；肝氣合木，木氣應春，南面正理之，則其左頰也。心熱病者，顏先赤；心氣合火，火炎上，顏，額也，故額先赤也。脾熱病者，鼻先赤；脾合土，土王中央，鼻居面中，故鼻先赤也。肺熱病者，右頰先赤；肺氣合金，金氣應秋，南面正理之，則其右頰也。腎熱病者，頤先赤；腎氣合水，水位下，故頤先赤也。病雖未發，見赤色者刺之，名曰治未病。聖人不治已病治未病，不治已亂治未亂。熱病從部所起者，至期而已；期謂大汗之日，如肝甲乙，心丙丁，脾戊己，肺庚辛，腎壬癸，是爲期日也。其刺之反者，三周而已；反，謂反取其氣也，如肝病刺脾，脾病刺腎，腎病刺心，心病刺肺，肺病刺肝，是又反五藏之氣也。三周，謂三周於三陰三陽之脉數也。又

[illegible]寫[illegible]是[illegible]又氣三陰[illegible]之[illegible]三重逆則死[illegible]三周乃已[illegible]當汗者至其所勝日汗大出也[illegible]新校正云[illegible]○[illegible]諸治熱病以飲之寒水乃刺之必寒衣之居止寒處身寒而止也[illegible]乃熱病先胸脅痛手足躁刺足少陽補足太陰[illegible]足太陰[illegible]入同身寸之五分留七呼若灸者可灸三壯[illegible]也○新校正云按[illegible]全元起本及太素作手太陰又[illegible]上手三寸[illegible]靈樞經云熱病而胸脅痛手足躁取之筋間以第四鍼[illegible]前於肝不得索之於金金肺也以取此決之[illegible]是者為病甚者為五十九刺五十九刺者謂頭上五行行五者以越諸陽之熱逆也大杼

膺俞缺盆背俞此八者以寫胸中之熱氣街三里巨虛上下廉此八者以寫胃中之熱也雲門髃骨委中髓空此八者以寫四支之熱也五藏俞傍五此十者以寫五藏之熱也凡此五十九穴者皆熱之左右也故言其則介刺之然頭上五行行五者當中行謂上星顖會前頂百會後頂次兩傍謂五處承光通天絡却玉枕又次兩傍謂臨泣目窗正營承靈腦空也上星在顱上直鼻中央入髮際同身寸之一寸陷者中容豆刺可入同身寸之四分◯新校正云按甲乙經四分作三分水熱穴論注亦作三分詳此注[illegible]者並足太陽脈氣所發刺可入同身寸之三分五處通天各留七呼絡却留五呼玉枕留三呼若灸者可灸三壯◯新校正云按甲乙經承光不可灸玉枕刺入二分

[illegible]

巨虛上廉足陽明與太陽入在三里下同身寸之三寸
足陽明脈氣下發刺可入同身寸之六分若灸者可灸
三壯巨虛下之足陽明與步陽合在上廉下同身寸之
三寸是陽明脈氣所發刺可入同身寸之三分若灸者
可灸二壯膺門在巨骨下胸中行兩傍○新拔正云按
氣穴論注胸中行兩傍作挾任脈傍横去任脈文雖異
穴之處所則同　相去同身寸之六寸動脈應手中府
當其下同身寸之一寸雲門手大陰脈氣所發舉三取
之刺可入同身寸之七分若灸者可灸五壯下令明堂
中詰圖經下載三骨穴事其穴以膂四支之熱環是肩
下穴穴在肩端兩骨間手陽明髎脈之會刺可入同身
寸之六分留六呼若灸者可灸三壯委中在足膝後屈
處髓中穴三文中動脈○新拔王云許委中穴興氣穴
注骨空注下癃論注隶此王氏四處注之彼此注無足
蔭兌屈處五字與此注異者非寶有異盖注有詩略亦
○足太陽脈之所入也刺可入同身寸之五分譽七學
若灸者可灸三壯下空者正名腰俞在脊中募二十一
椎節下間督脈氣所發刺可入同身寸之一分○三杖
正云按甲乙經作二寸不熱穴論注庭作二寸氣唐論
注骨空論注作一分○留七乎若灸者可灸三壯五藏
俞髆五者謂髃戶神堂魂門意舍志室五穴也在伏脊
兩膀各相去同身寸之三寸並足太陽脈氣所發世髃
戶在第三椎下兩傍正坐取之刺可入同身寸之五分
若灸者可灸五壯神堂任第五椎下兩傍刺可入同身

寸之三分若灸者可灸五壯魂門在第九椎下兩傍正坐取之刺可入同身寸之五分若灸者可灸三壯意舍在十一椎下兩傍正坐取之刺可入同身寸之五分若灸者可灸三壯志室在十四椎下兩傍正坐取之刺可入同身寸之五分若灸者可灸三壯是所謂此經之五十九刺法也若針經所指五十九刺則參與此極不同舉俱治熱病之要大然合用之理全向背猶書以病候譬讀所慮經法即下脊讀所指之

熱病始手臂痛者刺手陽明太陰而汗出止手臂痛列缺主之列缺者手太陰之絡去腕上同身寸之二寸半別走陽明者也刺可入同身寸之三分留三呼若灸者可灸五壯欲出汗商陽主之商陽者手陽明脈之井在手大指次指內側去爪甲角如韭葉手陽明脈之所出也刺可入同身寸之二分若灸者可灸一壯

熱病始於頭首者刺項太陽而汗出止天柱主之天柱在俠項後髮際大筋外廉陷者中足太陽脈氣所發刺可入同身寸之二分留六呼若灸者可灸三壯

熱病始於足脛者刺足陽明而汗出止新校正云按此條素問本無太素亦無今按甲乙經添入

熱病先身重骨痛耳聾好瞑刺足少陰據經無正主穴當然壽井木余○新校正云按下樞經云熱病而身重骨痛耳聾而好瞑取之骨以第四鍼鍼骨於不得

土脾也病甚者[illegible]法[illegible]

滿刺足少陰少陽之脉亦井榮也太陽之脉色榮顴骨熱病榮飾也謂赤色見於顴骨如榮飾也顴骨謂目下當外眥也太陽合火故見色赤○新校正云按楊上善云赤色榮顴者骨熱病也與王氏付不同榮未交新校正云按甲乙經太素作榮未夭下文榮未交亦作夭曰今且得汗待時而已榮一為榮字之誤也曰者引古經法之端由也言色雖明盛但陰陽之氣不交錯者故法云今且得汗之而已待時者謂肝病待甲乙心病待丙丁脾病待戊己肺病待庚辛腎病待壬癸是謂待時而已所謂交者次如下句與厥陰脉爭見者死期不過三日外見太陽之赤色內應厥陰之弦脉然太陽受病當傳入陽明今又厥陰之脉來見者是土敗而木賊之也故死歲土象已敗木復狂行木主數三故期不過三日其熱病內連腎少陽之脉色也病或為氣恐字誤也若赤色氣內連兩傍者是少陽之脉色非厥陰色何者腎部近於鼻也○新校正云詳或者欲改腎作鼻按甲乙經太素並作腎楊上善云六陽水也厥陰木水以生木木盛水衰故太陽水色見時有木爭見者水死以其熱病內連於腎腎為熱傷故死本由無少陽之脉色也六字乃王氏所添

王注非當從上善之義少陽之脉色榮頰前熱病也頰前即顴骨下近鼻兩傍○新校正云按甲乙經太素前字作筋楊上善云足少陽部在頰赤色榮之即知筋熱病也榮未交曰今且得汗待時而已與少陰脉爭見者死期不過三日少陽受病當傳入於太陰今反少陰少陰脉來見赤土敗而木賊之也故死不過三日亦木之數然○新校正云詳或者欲改少陰作厥陰按甲乙經太素亦作少楊上云少陰為木少陰為水少陽色見之時有少陰爭見若是母勝子故木死王作此注亦非舊本及甲乙經太素並無死期不過三日六字此是王氏足成此文也熱病氣穴三椎下間主胸中熱四椎下間主鬲中熱五椎下間主肝熱六椎下間主脾熱七椎下間主腎熱榮在骶也脊節之謂椎脊窮之謂骶腎熱之氣外通尾骶也尋此文椎間所主神藏之熱又不正當其藏俞而云主療在理未詳項上三椎陷者中也此舉數脊之大法也言三椎下間主胸中熱者何以數之言皆當以陷者中為氣發之所也頰下逆顴為大瘕下牙車為

○評熱病論篇第三十三 全元起本在第五卷

黃帝問曰：有病溫者，汗出輒復熱，而脈躁疾不為汗衰，狂言不能食，病名為何？岐伯對曰：病名陰陽交，交者死也。交謂交合陰陽之氣不分別也 帝曰：願聞其說。岐伯曰：人所以汗出者，皆生於穀，穀生於精。言穀氣化為精精氣勝乃為汗 今邪氣交爭於骨肉而得汗者，是邪卻而精勝也。言初汗也 精勝則當能食而不復熱，復熱者邪氣也，汗者精氣也，今汗出而輒復熱者，是邪勝也，不能食者，精無俾也，無俾言無可使為汗也穀不化則精不生精不化流故無可使 病而留者，其壽可立而傾也。如是者若汗出疾速留著而不去則其人壽命立致傾危也○新校正云詳病而留者按王[illegible]精當作疾又按甲乙經作而熱留者 且夫熱論曰：汗出而脈尚躁盛者死。熱論謂上古熱論也又汗後脈當遲靜而反躁急以盛滿者是真氣竭而邪盛故知必死也 今脈不與汗相應，此不勝其病也其死明矣脈不靜而躁盛是不相應狂言者是失志失志者死志舍於精今精無可使是志無所居志不留居則失志也今見三死不見一生雖愈必死也汗出脈躁盛一死不勝其病二死狂言失志者三死也帝曰有病身熱汗出煩滿煩滿不為汗解此為何病岐伯曰汗出而身熱者風也汗出而煩滿不解者厥也病名曰風厥帝曰願卒聞之岐伯曰巨陽主氣故先受邪少陰與其為表裏也得熱則上從之從之則厥也上從之謂少陰隨從於太陽而上也帝曰治之奈何岐伯曰表裏刺之飲之服湯謂寫太陽補少陰也飲之湯者謂止逆上之腎氣也帝曰勞風為病何如岐伯曰勞風法在肺下從勞風生故勞風勞謂腎勞也腎脉者從腎上貫肝鬲入肺中故腎勞風生上居肺下也其為病也使人強上冥視新挍正云按上善云強上好仰也冥視謂合視不明也又千金方冥視作目

明作目眩唾出若涕惡風而振寒此為勞風之病膀胱脈起於目內眥上額交巔上入絡腦還出別下項循肩髆內俠脊抵腰中入循膂絡腎今腎精不足外吸膀胱膀胱氣不能上營故使人頭項強而視不明也肺被風薄勞氣上熏故令唾出若鼻涕狀腎氣不足陽氣內攻勞熱相合故惡風而振寒

帝曰治之奈何岐伯曰以救俛仰救猶止也俛仰謂屈伸也言止屈伸於動作不使勞氣滋蔓

巨陽引精者三日中年者五日不精者七日新校正云按甲乙經作三日中若五日千金方作候之三日及五日中不精明者是也與此不同

欬出青黃涕其狀如膿大如彈丸從口中若鼻中出不出則傷肺傷肺則死也巨陽者膀胱之脈也膀胱與腎為表裏故巨陽引精也巨大也然太陽之脈吸引精氣上攻於肺者三日中年者五日素不以精氣用事者七日當欬出稠涕其色青黃如膿狀平調欬者從咽而上出於口暴卒欬者氣衝突於蓄門而出於鼻矣夫是者皆腎氣勞竭肺氣內虛陽氣奔迫之所為故不出則傷肺也傷肺則榮衛散解魄不內治故死○新校正云按王氏云卒暴欬者氣衝突於蓄門而出於鼻按[illegible][illegible]書[illegible]門[illegible]書門之名疑是賁門楊操云賁者鬲也胃氣之所出胃出穀氣以傳於肺肺在

一痏上故胃痏賓門帝曰有病腎風者面胕痝然壅害於言可刺不痝然腫起皃壅謂目下壅如臥蠶形也腎之脈從腎上貫肝膈入肺中循喉嚨挾舌本故妨害於言語痝莫江反岐伯曰虛不當刺不當刺而刺後五日其氣必至至謂病氣來至也藏謂一日而五日至腎夫腎已不足風內薄之謂虛為實以針大泄反傷藏氣真氣不足不可復故刺後五日其氣必至也帝曰其至何如岐伯曰至必少氣時熱時熱從胸背上至頭汗出手熱口乾苦渴小便黃目下腫腹中鳴身重難以行月事不來煩而不能食不能正偃正偃則欬病名曰風水論在刺法中刺法篇名今經亡帝曰願聞其說岐伯曰邪之所湊其氣必虛陰虛者陽必湊之故少氣時熱而汗出也小便黃者少腹中有熱也不能正偃者胃中不和也正偃則欬甚上迫肺也諸有水氣者微腫先見於目下也帝曰何以言岐伯曰水者

目下亦陰也腹者至陰之所居故水在腹者必使目下腫也真氣上逆故口苦舌乾卧不得正偃正偃則欬出清水也諸水病者故不得卧卧則驚驚則欬甚也腹中鳴者病本於胃也薄脾則煩不能食食不能下者胃脘隔也身重難以行者胃脈在足也月事不來者胞脈閉也胞脈者屬心而絡於胞中今氣上迫肺心氣不得下通故月事不來也考上文所釋之義未解熱從胸背上至頭汗出手熱口乾苦渴之義應古論簡脫而此差謬之爾如是者何腎少陰之脈從腎上貫肝鬲入肺中循喉嚨俠舌本又膀胱太陽之脈從目內眥上額交巔上其支者從巔至耳上角其直者從巔入絡腦還出別下項循肩髆內俠脊抵腰中入循膂今陰不足而陽有餘故熱從胸背上至頭而汗出口乾苦渴也然心者陽藏也其脈行於臂手腎者陰藏也其脈循於胸足腎不足則心氣有餘故手熱矣又以心腎之脈俱是少陰脈也帝曰善

○逆調論篇第三十四新校正云按全元起本在第四卷

黄帝問曰人身非常温也非常熱也為之熱而煩滿者何也異於常候故曰非常○新校正云按甲乙經無為之熱三字岐伯對曰陰氣少而陽氣勝故熱而煩滿也帝曰人身非衣寒也中非有寒氣也寒從中生者何言不知誰為元主邪岐伯曰是人多痺氣也陽氣少陰氣多故身寒如從水中出言自由形氣陰陽之[illegible]是非衣寒而中有寒也帝曰人有四支熱逢風寒如炙如火者何也新校正云按全元起本無如火二字太素云如炙於火當從太素云岐伯曰是人者陰氣虛陽氣盛四支者陽也兩陽相得而陰氣虛少少水不能滅盛火而陽獨治獨治者不能生長也獨勝而止耳水為陰火為陽今陽氣有餘陰氣不足故云少水不能滅盛火也治者王也勝者盛也故云獨勝而止逢風而如炙如火者是人當肉爍也爍者言消也言久久此人當肉消削也○新校正云詳如炙如火當從太素作如炙於火帝曰人有身寒湯火不能熱厚衣

不能温然不凍慄是爲何病歧伯曰是人者素腎氣勝以水爲事太陽氣衰腎脂枯不長一水不能勝兩火腎者水也而生於骨腎不生則髓不能滿故寒甚至骨也以水爲事言盛欲也所以不能凍慄者肝一陽也心二陽也腎孤藏也一水不能勝二火故不能凍慄病名曰骨痹是人當攣節也腎不生則髓不滿髓不滿則筋乾縮故筋攣拘帝曰人之肉苛者雖近於衣絮猶尚苛也是謂何疾苛謂痛重胡歌反歧伯曰榮氣虛衛氣實也榮氣虛則不仁衛氣虛則不用榮衛俱虛則不仁且不用肉如故也人身與志不相有曰死身用志不應志爲身不從兩者似不相有也○新校正云按甲乙經曰死作三十日死也帝曰人有逆氣不得臥而息有音者有不得臥而息無音者有起居如故而息有音者有得臥行而喘者有不得臥不能行而

喘者有不得臥臥而喘者皆何藏使然願聞其故岐伯曰不得臥而息有音者是陽明之逆也足三陽者下行今逆而上行故息有音也陽明者胃脉也胃者六府之海水穀海也其氣亦下行陽明逆不得從其道故不得臥也下經曰胃不和則臥不安此之謂也下經上古經也夫起居如故而息有音者此肺之絡脉逆也絡脉不得隨經上下故留經而不行絡脉之病人也微故起居如故而息有音也夫不得臥臥則喘者是水氣之客也夫水者循津液而流也腎者水藏主津液主臥與喘也帝曰善尋經所解之音不得臥而息無音有得臥行而喘有不得臥不能行而喘此三義懸闕而未論亦古之脫簡也

○瘧論篇第三十五新校正云按全元起本在第五卷

黃帝問曰夫痎瘧皆生於風其蓄作有時者何也痎猶老也

[illegible]發也○新校正云按甲乙經云夫瘧疾皆生於風其以日作以時發何也與此文異大素同今文楊上善云瘧有云二日一發名痎瘧此經但夏傷於暑至秋為痎或云瘧痎或但云瘧不必以日發間日以定瘧也但瘧四時其形有異以為瘧介已岐伯對曰瘧之始發也先起於毫毛伸欠乃作寒慄鼓頷慄謂戰慄鼓謂振動腰脊俱痛寒去則內外皆熱頭痛如破渴欲冷飲帝曰何氣使然願聞其道岐伯曰陰陽上下交爭虛實更作陰陽相移也陽氣者下行極而上陰氣者上行極而下故曰陰陽上下交爭也陽虛則外寒陰虛則內熱陽盛則外熱陰盛則內寒由此寒去熱生則虛實更作陰陽之氣相移易也陽并於陰則陰實而陽虛陽明虛則寒慄鼓頷也陽并於陰言陽氣入於陰分也陽明胃脉也胃之脉自交承漿却分行循頤後下廉出大迎其支別者從大迎前下人迎故氣不足則惡寒戰慄而頤頷振動也巨陽虛則腰背頭項痛巨陽者膀胱脉其脉從頭別下項循肩髆內俠脊抵腰中故氣不足則腰背頭項痛也髆音博三陽俱虛則陰氣勝陰氣勝則骨寒而痛寒生於內故中

外皆寒陽盛則外熱陰虛則内熱外内皆熱則喘而渴故欲冷飲也熱傷氣故内外皆熱則喘而渴此皆得之夏傷於暑熱氣盛藏於皮膚之内腸胃之外此榮氣之所舍也腸胃之外榮氣所主故云榮氣所舍也舍猶居也此令人汗空踈新校正云按全元起本作汗出空踈甲乙經太素同腠理開因得秋氣汗出遇風及得之以浴水氣舍於皮膚之内與衛氣并居衛氣者晝日行於陽夜行於陰此氣得陽而外出得陰而内薄内外相薄是以日作作發作也帝曰其間日而作者何也間日謂隔日也岐伯曰其氣之舍深内薄於陰陽氣獨發陰邪内著陰與陽争不得出是以間日而作也不與衛氣相逢會故隔日發也帝曰善其作日晏與其日早者何氣使然晏猶日暮也岐伯曰邪氣客於風府循膂而下風府穴名在項上入髮際同身寸之二寸大筋内宛宛中也膂謂脊兩傍衛氣一日

一夜大會於風府其明日日下一節故其作也晏此先客於脊背也每至於風府則腠理開腠理開則邪氣入邪氣入則病作以此日作稍益晏也節謂脊骨之節然邪氣遠則逢會遲故發暮也其出於風府日下一節二十五日下至骶骨二十六日入於脊內注於伏膂之脈項已下至尾骶凡二十四節故日下一節二十五日下至骶骨二十六日入於脊內注於伏膂之脈也伏膂之脈者謂膂筋之間腎脈之伏行者也腎之脈循股內後廉貫脊屬腎其直行者從腎上貫肝鬲入肺中以其貫脊又不正應行穴但循膂伏行故謂之伏膂脈○新校正云按全元起本二十五日作二十一日二十六日作二十二日甲乙經太素並同伏膂之脈甲乙經作大衝之脈巢元方作伏衝其氣上行九日出於缺盆之中其氣日高故作日益早也以膂脈貫脊屬腎上入肺中肺者缺盆爲之道其氣上行速故其氣上行九日出於缺盆之中其間日發者由邪氣內薄於五藏橫連募原也其道遠其氣深其行遲不能與衛氣俱行不得皆出

故間曰乃作也素問甲乙經作太素○新校正云按全元起本素作素太素巢元方並同舉痛
論本作腠原帝曰夫子言衛氣每至於風府腠理乃發發則
邪氣入入則病作今衛氣日下一節其氣之發也不當
風府其日作者奈何岐伯曰新校正云按全元起本及甲乙經太素自此邪氣客
於頭項至下則病作故八十八字並無此邪氣客於頭項循膂而下者也
故虛實不同邪中異所則不得當其風府也故邪中於
頭項者氣至頭項而病中於背者氣至背而病中於腰
脊者氣至腰脊而病中於手足者氣至手足而病故下舊各
以居邪之所而刺之衛氣之所在與邪氣相合則病作故風無常
府衛氣之所發必開其腠理邪氣之所合則其府也虛實
不同邪中異所衛邪相合病則發焉不必悉當風府而發作也○新校正云按甲乙經巢元方則其府也作其
病作帝曰善夫風之與瘧也相似同類而風獨常在瘧得

有時而休者何也［風居皆有盛衰故云相似同類］岐伯曰風氣留其處故常在瘧氣隨經絡沉以內薄［新校正云按甲乙經作次以內薄］故衛氣應乃作［留謂留止隨謂隨從］帝曰瘧先寒而後熱者何也岐伯曰夏傷於大暑其汗大出腠理開發因遇夏氣淒滄之水寒［新校正云按甲乙經太素水寒作小寒迫之］藏於腠理皮膚之中秋傷於風則病成矣［暑為陽氣中風者陽氣受之故秋傷於風則病成矣］夫寒者陰氣也風者陽氣也先傷於寒而後傷於風故先寒而後熱也病以時作名曰寒瘧［露形觸冒則風寒傷之］帝曰先熱而後寒者何也岐伯曰此先傷於風而後傷於寒故先熱而後寒也亦以時作名曰溫瘧［以其先熱故謂之溫］其但熱而不寒者陰氣先絕陽氣獨發則少氣煩冤手足熱而欲嘔名曰癉瘧［癉熱也極熱為之也〇癉丁干反］帝曰夫經言有餘者瀉之不足者

補之今熱為有餘寒為不足夫瘧者之寒湯火不能溫也及其熱氷水不能寒也此皆有餘不足之類當此之時良工不能止必須其自衰乃刺之其故何也願聞其說言何暇不早使其盛極衰自止乎岐伯曰經言無刺熇熇之熱新校正云按全元起本及太素熱作[illegible][illegible]火沃炎無刺渾渾之脈無刺漉漉之汗故為其病逆未可治也熇熇盛熱也渾渾言無端緒也漉漉言汗大出也夫瘧之始發也陽氣并於陰當是之時陽虛而陰盛外無氣故先寒慄也陰氣逆極則復出之陽陽與陰復并於外則陰虛而陽實故先熱而渴陰盛則胃寒故先寒戰慄陽盛則胃熱故先熱欲飲也夫瘧氣者并於陽則陽勝并於陰則陰勝陰勝則寒陽勝則熱瘧者風寒之氣不常也病極則復復謂復舊也言其氣發至極還復如舊至新校正云按甲乙經作瘧者風寒之暴氣不常病極則復至全元起本及太素作瘧

戒寒氣也不常病極則復至至字違上句與王氏之意異病之發也如火之熱如風雨不可當也以其盛熾故不可當也故經言曰方其盛時必毀新校正云按太素云勿敢必毀因其衰也事必大昌此之謂也方正也正盛寫之或傷真氣故必毀病氣衰已補其經氣則邪氣弭退正氣安平故必大昌也夫瘧之未發也陰未并陽陽未并陰因而調之真氣得安邪氣乃亡所寫必中所補必當故真氣得安邪氣乃亡也故工不能治其已發為其氣逆也真氣浸息邪氣大行真不勝邪是為逆也帝曰善攻之奈何早晏何如岐伯曰瘧之且發也陰陽之且移也必從四末始也陽已傷陰從之故先其時堅束其處令邪氣不得入陰氣不得出審候見之在孫絡盛堅而血者皆取之此真往而未得并者也言牢縛四支令氣各在其處則邪所居處必自見之既見之則刺出其血亦往猶去也○新校正云按甲乙經真往作其往太素作真往帝曰瘧不發其應何如岐伯曰瘧

氣者必更盛更虛當氣之所在也病在陽則熱而脈躁在陰則寒而脈靜[陰靜陽躁故陰亦隨之]極則陰陽俱衰衛氣相離故病得休衛氣集則復病也[相薄至極物極則反故極則陰陽俱衰]帝曰時有間二日或至數日發或渴或不渴其故何也岐伯曰其間日者邪氣與衛氣客於六府而有時相失不能相得故休數日乃作也[氣不相會故數日不能會也]瘧者陰陽更勝也或甚或不甚故或渴或不渴[陽勝陰甚則渴陽勝陰不甚則不渴也勝謂強盛於彼之氣也]帝曰論言夏傷於暑秋必病瘧[新校正云按生氣通天論并陰陽應象大論二論俱云夏傷於暑秋必痎瘧]今瘧不必應者何也[言不必皆然]岐伯曰此應四時者也其病異形者反四時也其以秋病者寒甚[秋氣清涼陽氣下降熱藏肌肉故寒甚也]以冬病者寒不甚[冬氣嚴列陽氣伏藏不與寒爭故寒不甚]以春病者惡風[春氣溫和陽氣外出肉腠開發故惡於風以]

夏病者多汗夏氣暑熱津液充盈外泄皮膚故多汗也帝曰夫病溫瘧與寒瘧而皆安舍舍於何藏安何也舍居止也藏謂五神藏也岐伯曰溫瘧得之冬中於風寒氣藏於骨髓之中至春則陽氣大發邪氣不能自出因遇大暑腦髓爍肌肉消腠理發泄或有所用力邪氣與汗皆出此病藏於腎其氣先從內出之於外也腎主於冬冬主骨髓腦爲髓海上下相應熱上熏故腦髓銷爍銷爍則熱氣外薄故肌肉減削而病藏於腎也如是者陰虛而陽盛陽盛則熱矣陰氣謂腎藏氣虛陽盛謂膀胱大陽氣盛衰則氣復反入入則陽虛陽虛則寒矣故先熱而後寒名曰溫瘧衰謂病衰退也復反入謂入腎陰脉中帝曰癉瘧何如岐伯曰癉瘧者肺素有熱氣盛於身厥逆上衝中氣實而不外泄因有所用力腠理開風寒舍於皮膚之內分肉之間而發發則陽氣盛陽氣盛而不衰則病矣

其氣不及於陰新校正云按全元起本及太素作不及之陰巢元方作不及之陰故但熱而不寒氣內藏於心而外舍於分肉之間令人消爍脫肉故命曰癉瘧帝曰善

○刺瘧篇第三十六新校正云按全元起本在第六卷

是太陽之瘧令人腰痛頭重寒從背起足太陽脈從巔入絡腦還出別下項循肩髆內俠脊抵腰中其支別者從髆內左右別下貫胂過髀樞故令腰痛頭重寒從背起○新校正云按三部九候論注貫胂作貫臀刺腰痛注亦作貫臀厥論注作貫胂甲乙經作貫胂先寒後熱熇熇暍暍然熇熇甚熱狀暍暍亦熱盛也太陽不足故先寒寒極則生熱故後熱也[illegible]音謁熱止汗出難已熱生是為氣虛熱止則為氣復氣復而汗反出此為邪氣盛而真不勝故難已○新校正云按全元起本并甲乙經太素巢元方並作先寒後熱渴渴止汗出與此文異刺郄中出血太陽之郄是謂金門金門在足外踝下一名曰關梁陽維所別屬也刺可入同身寸之三分若灸者可灸三壯黃帝中誥圖經云委中主之則古法以委中為郄中也委中在膕中央約文中動脈足太陽脈之所入也刺可入同

身寸之三分留七呼若灸者可灸三壯○新校正云刺瘧論甲乙經作膕中令王氏兩注之當以膕中為正也

足少陽之瘧，令人身體解㑊身體解㑊次如下句寒不甚，熱不甚陽氣未盛故令其然惡見人，見人心惕惕然膽與肝合肝虛則其邪薄其氣故恐見人見人心陽熱也熱多汗出甚邪盛則熱多中風故汗出刺足少陽俠谿主之在足小指次指歧骨間本節前陷者中少陽之榮刺可入同身寸之三分留三呼若灸者可灸三壯是

陽明之瘧，令人先寒洒淅，洒淅寒甚，久乃熱，熱去汗出，喜見日月光火氣乃快然陽虛則外先寒陽虛極則復盛故寒甚久乃熱也熱去汗已陰又內強陽不勝陰故喜見日月光火氣乃快然也刺足陽明跗上衝陽穴也在足跗上同身寸之二寸骨間動脈上去陷谷同身寸之三寸陽明之原刺可入同身寸之三分留十呼若灸者可灸三壯■吉付

足太陰之瘧，令人不樂，好大息心氣流於肺則喜今脾藏受病心母救之火氣下入於脾不上行於肺又太陰脈支別者復從胃上鬲注心中故令人不樂好大息也不嗜食，多寒熱汗出脾主化穀營助四傍今邪薄之諸穀無又主四季四季王則邪氣交爭故不嗜食

多寒熱而汗出○新校正云按甲乙經云多寒少熱病至則善嘔嘔已乃衰足太陰脉

入腹屬脾絡胃上鬲俠咽故病氣來至則嘔嘔已乃衰退也即取之待病衰去即而取之其言衰即

取之井俞氣公孫也公孫在足大指本節後同身寸之一寸太陰絡也刺可入同身寸之四分留七呼若灸者

可灸三壯足少陰之瘧令人嘔吐甚多寒熱熱多寒少足少陰脉

貫肝鬲入肺中循喉嚨故嘔吐甚多寒熱也腎為陰藏陰氣主寒今陰氣不足故熱多寒少○新校正云按甲

乙經云嘔吐甚多寒少熱也欲閉戶牖而處其病難已胃陽明厥[illegible]欲獨閉戶牖

而處今謂胃土病證反見腎水之中土刑於水故其病難已也太鐘太谿悉主之太鐘在足內踝後衝中少陰

絡也刺可入同身寸之二分留七呼若灸者可灸三壯太谿在足內踝後跟骨上動脉陷者中少陰俞也刺可

入同身寸之三分留七呼若灸者可灸三壯○新校正云按甲乙經云其病難已取太谿又按太鐘穴甲乙經

作跟後衝中刺腰痛注作跟後衝中動脉以求穴注云在內踝後此注云內踝後衝中諸注不同當以甲乙經

為正足厥陰之瘧令人腰痛少腹滿小便不利如癃狀非

癃也數便意恐懼氣不足腹中悒悒足[illegible]入[illegible]

少腹故病如是癃謂不得小便也悒悒不暢之貌〇新校正云按甲乙經數便意三字作數噫二字刺足厥陰太衝主之在足大指本節後同身寸之二寸陷者中厥陰俞也刺可入同身寸之三分留十經若灸者可灸三壯〇新校正云按刺腰痛篇注云在本節後內間動脈應手肺瘧者令人心寒寒甚熱熱間善驚如有所見者刺手太陰陽明列缺主之列缺在手腕後同身寸之一寸半手大陰絡也刺可入同身寸之三分留三呼若灸者可灸五壯陽明穴合谷主之合谷在手大指次指歧骨間手陽明脈之所過也刺可入同身寸之三分留六呼若灸者可灸三壯心瘧者令人煩心甚欲得清水反寒多不甚熱刺手少陰神門主之神門在掌後銳骨之端陷者中手少陰俞也刺可入同身寸之三分留七呼若灸者可灸三壯〇新校正云按太素云欲得清水及寒多寒不甚熱甚肝瘧者令人色蒼蒼然大息其狀若死者刺足厥陰見血中封主之在足內踝前同身寸之一寸半陷者中仰足而取之伸足乃得之足厥陰經也刺出血止常刺者可入同身寸之四分留七呼若灸者可灸三壯脾瘧者令人寒腹中痛熱則腸中鳴鳴已汗出刺足太陰

商丘主之商丘在足內踝下微前陷者中足太陰經也刺可入同身寸之三分留七呼若灸者可灸三壯腎
瘧者令人洒洒然腰脊痛宛轉大便難目眴眴然手足
寒刺足太陽少陰太鍾主之取如前足少陰瘧中法胃瘧者令人且病
也善飢而不能食食而支滿腹大胃熱脾虛故善飢而不能食食而支滿腹
大也是以下文兼刺大陰○新校正云按太素且病作疽病刺足陽明太陰橫脉出
血厲兌解谿三里主之厲兌在足大指次指之端去爪甲如韭葉陽明井也刺可入同身寸之一分留一呼
若灸者可灸一壯解谿在衝陽後同身寸之三寸半腕上陷者中陽明經也刺可入同身寸之五分留五呼若
灸者可灸三壯三里在膝下同身寸之三寸胻骨外廉兩筋肉分間陽明合也刺可入同身寸之一寸留七呼
若灸者可灸三壯熱足陽明取此三穴足太陰刺其橫脉出血也橫脉謂足內踝前斜過太脉則太陰之經脉
也○新校正云詳解谿在衝陽後三寸半按甲乙經一寸半氣穴論注二寸半瘧發身方熱刺
跗上動脉則陽明之脉也開其空出其血立寒陽明之脉多血多氣熱盛氣壯
故出其血而立可寒也瘧方欲寒刺手陽明太陰足陽明太陰亦謂

背穴而出其血也音隨井俞而刺之也細脈滿大急刺背俞用中針傍五
胠俞各一適肥瘦出其血也瘦者淺刺少出血肥者深刺多出血背俞謂大杼五
胠俞謂譩譆胠去魚反瘧脈小實急灸脛少陰刺指井灸脛少陰是謂復溜
復溜在內踝上同身寸之二寸陷者中足少陰經也刺可入同身寸之二分留三呼若灸者可灸五壯刺指井
謂刺至陰至陰在足小指外側去爪甲角如韭葉足大陽井也刺可入同身寸之一分留五呼若灸者可灸三
壯瘧脈滿大急刺背俞用五胠俞背俞各一適行於血
也謂調適肥瘦穴度深淺循三備之法而行針令至於血脈也謂大杼五胠俞謂譩譆主之○新校正云詳此
條從瘧脈滿大至此注終文注共五十五字當從刪削經文誤次背經文重復王氏隨而注之別無義例不刪若
土安之精審不復出也瘧脈緩大虛便用藥不宜用針緩者中風大為氣實
虛者血虛血虛氣實風又攻之故宜藥治以遣其邪不宜針寫而出血也凡治瘧先發如食
頃乃可以治過之則失時也先其發時真邪異居波隴不起故可治過時則真邪
相合攻之則反傷真氣故曰失時○新校正云詳從前瘧脈滿大至此全元起本在第四卷中王氏移續於此

內經五　二十

也

諸瘧而脈不見刺十指間出血血去必已先視身之赤如小豆者盡取之十二瘧者其發各不同時察其病形以知其何脈之病也隨其形證而病脈可知先其發時如食頃而刺之一刺則衰二刺則知三刺則已不已刺舌下兩脈出血釋具下文不已刺郄中盛經出血又刺項已下俠脊者必已並足太陽之脈氣也郄中則委中也俠脊者謂大杼風門熱府穴也大杼在項第一椎下兩傍相去各同身寸之一寸半陷者中刺可入同身寸之三分留七呼若灸者可灸五壯風門熱府在第七椎下兩傍各同身寸之一寸半刺可入同身寸之五分留七呼若灸者可灸五壯〇新校正云詳大杼穴灸五壯按甲乙經作七壯氣穴論注作七壯刺熱及熱穴注作五壯舌下兩脈者廉泉也廉泉穴在頷下結喉上舌本下陰維任脈之會刺可入同身寸之三分留三呼若灸者可灸三壯刺瘧者必先問其病之所先發者先刺之先頭痛及重者先刺頭上及兩額兩眉間出血頭上謂上星百會兩額謂懸顱兩眉間謂攢竹等穴也先

項背痛者先刺之項風池風府主之背大杼神道主之先腰脊痛者先刺郄中出血先手臂痛者先刺手少陰陽明十指間新校正云按別本作手陰陽全本亦作手陰陽先足脛痠痛者先刺足陽明十指間出血各以邪居之所以脫寫之風瘧瘧發則汗出惡風刺三陽經背俞之血者三陽太陽也○新校正云按甲乙經云足三陽骱痠痛甚按之不可名曰胕髓病以鑱鍼鍼絕骨出血立已陽輔穴也取如氣穴論中府俞法[illegible]胕付反鑱[illegible]銜反身體小痛刺至陰新校正云按甲乙經無至陰二字諸陰之井無出血間日一刺諸井皆在指端足少陰井在足心宛宛中瘧不渴間日而作刺足太陽新校正云按九卷云足陽明太素同渴而間日作刺足少陽新校正云按九卷云手少陽太素同溫瘧汗不出爲五十九刺自胃瘧下至此尋黃帝中誥圖經所主或有不與此文同應古之別法也

○氣厥論篇第三十七新校正云按全元起本在第九卷與厥論相併

黃帝問曰：五藏六府寒熱相移者何？岐伯曰：腎移寒於肝，癰腫少氣。肝藏血，然寒入則陽氣不散，陽氣不散則血聚氣澀，故為癰腫，又為少氣也。○新校正云：按全元起本云「腎移寒於脾」，元起注云：腎傷於寒而傳於脾，脾主肉，寒生於肉則結為堅，堅化為膿，故為癰也。血傷氣少，故曰少氣。甲乙經亦作「移寒於脾」。王因誤本，遂解為肝，亦智者之一失也。脾移寒於肝，癰腫筋攣。脾藏主肉，肝藏主筋，肉溫則筋舒，肉冷則筋急，故筋攣也。肉寒則衛氣結聚，故為癰腫。肝移寒於心，狂隔中。心為陽藏，神處其中，寒薄之則神亂離散，故狂也。陽氣與寒相薄，故隔塞而中不通也。心移寒於肺，肺消。肺消者，飲一溲二，死不治。心為陽藏，反受諸寒，寒氣不消，乃移於肺，寒隨心火內爍金精，金受火邪，故中消也。然肺藏消爍，氣無所持，故令飲一而溲二也。金火相賊，故死不能治。肺移寒於腎，為涌水。涌水者，按腹不堅，水氣客於大腸，疾行則鳴濯濯，如囊裹漿，水之病也。肺藏氣，腎主水，夫肺寒入腎，腎氣有餘，腎氣有餘則上奔於肺，故云涌水也。大腸為肺之府，然肺腎俱為寒薄，上下皆無所之，故水氣客於大腸也。腎受凝寒，不能化液，大腸積水而不流通，故其疾行則腸鳴而濯濯

有聲如囊裹漿而為水病也○新校正云按甲乙經水之病作治主肺者

脾移熱於肝則為驚衄

肝藏血又主驚故熱薄之則驚而鼻中血出

肝移熱於心則死

兩陽和合火木相燔故肝熱入心則當死也陰陽別論曰肝之心謂之生陽生陽之屬不過四日而死○新校正云按陰陽別論之文義與此殊王氏不當引彼義文附會此義

心移熱於肺傳為鬲消

心肺兩間中有斜鬲膜鬲膜下際內連於橫鬲膜故心熱入肺久久傳化內為鬲熱消渴而多飲也

肺移熱於腎傳為柔痓

柔謂筋柔而無力痓謂骨痓而不隨氣骨皆熱髓不內充故骨痓強而不舉筋柔緩而無力也[illegible]音熾

腎移熱於脾傳為虛腸澼死不可治

脾土制水腎又發熱以熱之是脾土不能制水而受病故久久傳為虛損也腸澼死者腎主下焦象水而冷今乃移熱是精氣內消下焦無主以守持故腸澼除而氣不禁止

胞移熱於膀胱則癃溺血

膀胱為津液之府胞為受納之司故熱入膀胱胞中外熱陰絡內溢故不得小便而溺血也正理論曰熱在下焦則溺血此之謂也

膀胱移熱於小腸鬲腸不便上為口糜

小腸脈絡心循咽下鬲抵胃屬小腸故受熱以下令腸鬲塞而不便上則口生瘡而糜爛也糜謂爛也[illegible]武悲反

小腸

移熱於大腸為虙瘕為沉小腸熱已移入大腸兩熱相薄則血溢而為伏瘕也血澁不利則月事沉滯而不行故云為虙瘕為沉為沉也虙與伏同瘕一為疝傳寫誤也大腸移熱於胃善食而瘦入謂之食亦胃為水穀之海其氣外養肌肉熱消水穀又鑠肌肉故善食而瘦入也食亦者謂食入移易而過不生肌膚也亦易也○新校正云按甲乙經入作又王氏注云善食而瘦入也殊為無義不若甲乙經作又讀連下文胃移熱於膽亦曰食亦義同上膽移熱於腦則辛頞鼻淵鼻淵者濁涕下不止也腦液下滲則為濁涕下不止如彼水泉故曰鼻淵也頞謂鼻頞也足太陽脈起於目內眥上額交巔上入絡腦足陽明脈起於鼻交頞中傍約太陽之脈令腦熱則足太陽逆與陽明之脈俱盛薄於頞中故鼻頞辛也辛謂酸痛故下文曰傳為衄衊瞑目以足陽明脈交頞中傍約太陽之脈故耳熱盛則陽絡溢陽絡溢則衄出汗血也衊謂汗血也血出甚陽明太陽脈衰不能榮養於目故目瞑瞑暗也衊莫結反故得之氣厥也厥者氣逆也皆由氣逆而得之

○欬論篇第三十八新校正云按全元起本在第九卷

黃帝問曰肺之令人欬何也岐伯對曰五藏六府皆令人欬非獨肺也帝曰願聞其狀岐伯曰皮毛者肺之合也皮毛先受邪氣邪氣以從其合也邪謂寒氣其寒飲食入胃從肺脈上至於肺則肺寒肺寒則外內合邪因而客之則為肺欬肺脈起於中焦下絡大腸還循胃口上鬲屬肺故云從肺脈上至於肺也五藏各以其時受病非其時各傳以與之時謂王月也非王月則不受邪故各傳以與之人與天地相參故五藏各以治時感於寒則受病微則為欬甚者為泄為痛寒氣微則外應皮毛內通肺故欬寒氣甚則入於內內裂則痛入於腸胃則泄痢乘秋則肺先受邪乘春則肝先受之乘夏則心先受之乘至陰則脾先受之乘冬則腎先受之以當用事之時故先受邪氣○新校正云按全元起本及太素無乘秋則三字疑此文誤多也帝曰何以異之欲明其證也岐伯曰肺欬之狀欬而喘息有音甚則唾

血肺藏氣而應息故欬則喘息而喉中有聲甚則肺絡逆故唾血也心欬之狀欬則心
痛喉中介介如梗狀甚則咽腫喉痺手心主脈起於胸中出屬心包少陰
之脈起於心中出屬心系其支別者從心系上俠咽喉故病如是○新校正云按甲乙經介介如梗狀作喝喝
又少陰之脈上俠咽不言俠喉肝欬之狀欬則兩脇下痛甚則不可以
轉轉則兩胠下滿足厥陰脈上貫鬲布脇肋循喉嚨之後故如是胠亦脇也脾欬之
狀欬則右胠下痛陰陰引肩背甚則不可以動動則欬
劇足太陰脈上貫鬲俠咽其支別者復從胃別上鬲故病如是也脾氣連肺故痛引肩背也脾氣主右故右
胠下陰人然深慢痛也[illegible]音極腎欬之狀欬則腰背相引而痛甚則欬
涎足少陰脈上股內後廉貫脊屬腎絡膀胱其直行者從腎上貫肝鬲入肺中循喉嚨俠舌本又膀胱脈從
肩髆內別下俠脊抵腰中入循膂絡腎故病如是帝曰六府之欬柰何安所受
病岐伯曰五藏之久欬乃移於六府脾欬不已則胃受
之胃欬之狀欬而嘔嘔甚則長蟲出脾與胃合又胃之脈循喉嚨入缺盆

下鬲屬胃絡脾故脾欬不已胃受之也胃寒則嘔嘔甚則腸氣逆上故蚘出蚘音回肝欬不已則
膽受之膽欬之狀欬嘔膽汁肝與膽合又膽之脈從缺盆以下胸中貫鬲絡肝故
肝欬不已膽受之也膽氣好逆故嘔溫苦汁也肺欬不已則大腸受之大腸欬
狀欬而遺失肺與大腸合又大腸脈入缺盆絡肺故肺欬不已大腸受之大腸為傳送之府故寒
入則氣不禁焉〇新校正云按甲乙經遺失作遺矢心欬不已則小腸受之小腸
欬狀欬而失氣氣與欬俱失心與小腸合又小腸脈入缺盆絡心故心欬不已小
腸受之小腸寒盛氣入大腸欬則小腸氣下奔故失氣也腎欬不已則膀胱受之膀
胱欬狀欬而遺溺腎與膀胱合又膀胱脈從肩髆內俠脊抵腰中入循膂絡腎屬膀胱故腎
欬不已膀胱受之膀胱為津液之府是故遺溺久欬不已則三焦受之三焦欬
狀欬而腹滿不欲食飲此皆聚於胃關於肺使人多涕
唾而面浮腫氣逆也三焦者非謂手少陽也正謂上焦中焦耳何者上焦者出於胃上口
並咽以上貫鬲布胸中走腋中焦者亦至於胃口出上焦之後此所受氣者泌糟粕蒸津液化其精微上注於

脈厥乃化而爲血故言皆聚於胃關於肺也兩焦受病則邪氣熏肺而肺氣滿故使人多涕唾而面浮腫氣逆也腹滿不欲食者腎寒故也胃脉者從缺盆下乳內廉下循腹至氣衝其支者復從胃下口循腹裏至氣衝中而合今胃受邪故病如是也何以明其不調下氣熏下焦者別於回腸注於膀胱故水穀者常并居於胃中盛糟粕而俱下於大腸泌別汁循下焦而滲入膀胱焉此行化乃與胃口懸遠故不謂此也○新校正云按甲乙經胃脉下循腹作下侠臍帝曰治之柰何岐伯曰治藏者治其俞治府者治其合浮腫者治其經諸藏俞者皆脉之所起第二穴諸府合者皆脉之所起第六穴也經者藏脉之所起第四穴府脉之所起第五穴靈樞經曰脉之所注爲俞所行爲經所入爲合此之謂也帝曰善

補註釋文黃帝內經素問卷之五

補註釋文黃帝內經素問卷之六

○舉痛論篇第三十九

（新校正云：按全元起本在第三卷，名五藏舉痛。所以名舉痛之義未詳。按本篇乃黃帝問五藏卒痛之疾，疑舉乃卒字之誤也。）

黃帝問曰：余聞善言天者，必有驗於人；善言古者，必有合於今；善言人者，必有厭於己。如此，則道不惑而要數極，所謂明明也。（善言天者，言天四時之氣，溫涼寒暑，生長收藏，在人形氣五藏參應，可驗而指示善惡，故曰必有驗於人。善言古者，謂言上古聖人養生損益之迹，與今養生損益之理，可合而與論成敗，故曰必有合於今也。善言人者，謂言形骸骨節更相支拄，筋脉束絡，皮肉包裹，而五藏六府次居其中，假七神五藏而運用之，氣絕神去則之於死，是以知彼浮形不能堅久，靜慮於己亦與彼同，故曰必有厭於己也。夫如此者，是知道要數之極，悉無疑惑，深明至理而乃能然矣。）今余問於夫子，令言而可知，視而可見，捫而可得，令驗於己，如發蒙解惑，可得而聞乎？（言如發開童蒙之耳，解於疑惑者之心，令一條理而目視手循，驗之可得捫循也。）

岐伯

再拜稽首對曰何道之問也請示起端也帝曰願聞人之五藏卒痛何氣使然岐伯對曰經脉流行不止環周不休寒氣入經而稽遲泣音澁而不行客於脉外則血少客於脉中則氣不通故卒然而痛帝曰其痛或卒然而止者或痛甚不休者或痛甚不可按者或按之而痛止者或按之無益者或喘動應手者或心與背相引而痛者或脇肋與少腹相引而痛者或腹痛引陰股者或痛宿昔而成積者或卒然痛死不知人少間復生者或痛而嘔者或腹痛而後泄者或痛而閉不通者凡此諸痛各不同形别之奈何欲明異候之所起岐伯曰寒氣客於脉外則脉寒脉寒則縮踡縮踡則脉絀急絀急則外引小絡故卒然而痛得炅則痛立止脉左右環故得寒則縮踡絀急縮踡絀急則衛氣不得流通故

外引於小絡脈也衛氣不入寒內薄之脈急不縱生也得熱則衛氣復行寒氣退辟故痛止炅熱也也骨反絀丁反

因重中於寒則痛久矣重寒難釋痛久不消故寒氣客於經脈之中與炅氣相薄則脈滿滿則痛而不可按也按之痛甚者其義具下文寒氣稽留炅氣從上則脈充大而血氣亂故痛甚不可按也脈既滿大血氣復亂按之則邪氣攻內故不可按也寒氣客於腸胃之間膜原之下血不得散小絡急引故痛按之則血氣散故按之痛止膜謂鬲間之膜原謂鬲肓之原血不得散謂鬲膜之中小絡脈內血也絡滿則急故牽引而痛生也手按之則寒氣散小絡緩故痛止寒氣客於俠脊之脈則深按之不能及故按之無益也俠脊之脈者當中之督脈也次兩傍足太陽脈也督脈者循脊裏太陽者貫膂筋故深按之不能及也若按當中則脊節曲按兩傍則膂筋蹙合曲與蹙合守衛氣不得行過寒氣益聚而內畜故按之無益寒氣客於衝脈衝脈起於關元隨腹直上寒氣客則脈不通脈不通則氣因之故喘動

應手矣。（衝脈奇經脈也。關元穴名，在齊下三寸。言起自此穴，隨腹而上，非生出於此也。其本生出乃起於腎下也。直者謂行會於其實祭也，氣因之謂衝脈下通足少陰絡，因之上滿。衝脈與少陰並行，故喘動而應手矣。）寒氣客於背俞之脈則脈泣，脈泣則血虛，血虛則痛，其俞注於心，故相引而痛，按之則熱氣至，熱氣至則痛止矣。（背俞謂心俞，脈足太陽脈也。夫俞者皆內通於藏，故曰其俞注於心，相引而痛也。按之則溫氣入，溫氣入則心氣外發，故痛止。）寒氣客於厥陰之脈，厥陰之脈者，絡陰器繫於肝，寒氣客於脈中，則血泣脈急，故脇肋與少腹相引痛矣。（厥陰者肝之脈，入髦中，環陰器，抵少腹上，貫肝鬲，布脇肋，故曰絡陰器繫於肝。脈急引脇與少腹痛也。）厥氣客於陰股，寒氣上及少腹，血泣在下相引，故腹痛引陰股。（亦厥陰肝脈之氣也，以其脈循陰股入毛中，環陰器，上抵少腹，故曰厥氣客於陰股，寒氣上及於少腹也。）寒氣客於小腸膜原之間，絡血之中，血泣不得注於大經，血氣稽留不得行，故宿昔而成積矣。

言血為寒氣之所凝結而乃成積寒氣客於五藏厥逆上泄陰氣竭陽
氣未入故卒然痛死不知人氣復反則生矣言藏氣被寒擁胃而
不行氣復得通則已也○新校正云詳注中擁胃疑作擁冒寒氣客於腸胃厥逆上
出故痛而嘔也腸胃客寒留止則陽氣不得下流而反上行寒不去則痛生陽上行則嘔逆故
痛而嘔也寒氣客於小腸小腸不得成聚故後泄腹痛矣小腸
為受盛之府中滿則寒邪不居故不得結聚而傳下入於迴腸迴腸廣腸也為傳導之府物不得停留故後泄
而痛熱氣留於小腸腸中痛癉熱焦渴則堅乾不得出故
痛而閉不通矣熱滲津液故便堅也帝曰所謂言而可知者也視
而可見奈何謂候色也岐伯曰五藏六府固盡有部謂面上之分部
視其五色黃赤為熱中熱則色黃赤白為寒陽氣少血不上榮於色故白青
黑為痛血凝泣則變惡變色青黑則痛此所謂視而可見者也帝曰捫
而可得奈何捫摸也以手循摸也岐伯曰視其主病之脈堅而血

及陷下者皆可捫而得也帝曰善余知百病生於氣也夫氣之為用虛實逆順緩急皆能為病故發此問端怒則氣上喜則氣緩悲則氣消恐則氣下寒則氣收炅則氣泄驚則氣亂新校正云按大素驚作憂勞則氣耗思則氣結九氣不同何病之生岐伯曰怒則氣逆甚則嘔血及飧泄新校正云按甲乙經及大素飧泄作食而氣逆故氣上矣怒則陽氣逆上而肝氣乘脾故甚則嘔血及飧泄也何以明其然怒則面赤甚則色蒼靈樞經曰盛怒而不止則傷志明怒則氣逆上而不下也喜則氣和志達榮衛通利故氣緩矣氣脉和調故志達暢榮衛通利故氣徐緩悲則心系急肺布葉舉而上焦不通榮衛不散熱氣在中故氣消矣布葉謂布蓋之大葉○新校正云按甲乙經及大素而上焦不通作兩焦不通又王注肺布葉舉謂布蓋之大葉疑非全元起云悲則損於心心系急則動於肺肺氣繫諸經逆故肺布而葉舉安得謂肺布為肺布蓋之大葉恐則精却却則上焦閉閉則氣還還則下焦脹故氣不行矣恐則陽精却上

而不下流故却則上焦閉也上焦既閉氣下行流下焦陰氣亦還迴不散而聚為脹也然上焦固禁下焦氣還各守一處故氣不行也○新校正云詳氣不行當作氣下行也寒則腠理閉氣不行故氣收矣腠謂津液滲泄之所理謂文理逢會之中閉謂密閉氣謂衛氣行謂流行收謂收斂也身寒則衛氣沈故皮膚文理及滲泄之處皆閉密而氣不流行衛氣收斂於中而不發散也○新校正云按甲乙經氣下行作營衛不行炅則腠理開榮衛通汗大泄故氣泄矣人在陽則舒在陰則慘故熱則膚腠開發榮衛大通津液外滲而汗大泄驚則心無所倚神無所歸慮無所定故氣亂矣氣奔越故不調理○新校正云按太素驚作憂字勞則喘且汗出外內皆越故氣耗矣疲力役則氣奔速故喘息氣奔速則陽外發故汗出然喘且汗出內外皆踰越於常紀故氣耗損也思則心有所存神有所歸正氣留而不行故氣結矣繫心不散故氣亦停留○新校正云按甲乙經歸正二字作止守

○腹中論篇第四十

新校正云按全元起本在第五卷

黄帝問曰有病心腹滿旦食則不能暮食此為何病岐伯對曰名為鼓脹心腹脹滿不能再食形如鼓脹故名鼓脹也○新校正云按大素鼓作字帝曰治之奈何岐伯曰治之以雞矢醴一劑知二劑已按古本草雞矢並不治鼓脹惟大利小便微寒今方制法當取用處湯漬服之帝曰其時有復發者何也復謂再發言如舊也岐伯曰此飲食不節故時有病也雖然其病且已時故當病氣聚於腹也飲食不節則傷胃胃脈者循腹裏而下行故飲食不節時有病復者病氣聚於腹中也帝曰有病胸脇支滿者妨於食病至則先聞腥臊臭出清液先唾血四支清目眩時時前後血病名為何何以得之清液清水也亦謂之清涕清涕者謂從窈漏中漫液而下水出清冷也眩謂目視眩轉也前後血謂前陰後陰出血也岐伯曰病名血枯此得之年少時有所大脫血若醉入房中氣竭肝傷故月事衰少不來也出血多者謂之脫血漏中鼻衄嘔吐出血皆同焉夫醉則血[illegible]

盛血脈盛則內熱因而入房髓液皆下故腎中氣竭也肝藏血以少大脫血故肝傷也然於丈夫則精液衰乏若女子則月事衰少而不來帝曰治之奈何復以何術岐伯曰以四烏鰂骨一藘茹二物并合之丸以雀卵大如小豆以五丸為後飯飲以鮑魚汁利腸中新校正云按別本一作傷中鰂非則反藘茹上力居反下音如字及傷肝也飯後藥先謂之後飯按古本草經云烏鰂魚骨藘茹等並不治血枯然經法用之是攻其所生所起夫醉勞力以入房則腎中精氣耗竭月事衰少不至則中有惡血淹留精氣耗竭則陰痿不起而無精惡血淹留則血痺著中而不散故先兹四藥用入方焉古本草經曰烏鰂魚骨味鹹冷平無毒主治女子血閉藘茹味辛寒平有小毒主散惡血雀卵味甘溫平無毒主治男子陰痿不起強之令熱多精有子鮑魚味辛臭溫平無毒主治瘀血血痺在四支不散者尋文會意方義如此而處治之也○新校正云按甲乙經及太素藘茹作藺茹詳王注性味乃藺茹當改藘作藺又按本草烏鰂魚骨冷作微溫雀卵甘作藘與王注異帝曰病有少腹盛上下左右皆有根此為何病可治不岐伯曰病名曰伏梁伏梁心之積也○新校正云詳此伏梁與心積之伏

梁大異病有名同而實異者非一如此之類是也帝曰伏梁何因而得之岐伯曰裹大膿血居腸胃之外不可治治之每切按之致死帝曰何以然岐伯曰此下則因陰必下膿血上則迫胃脘生鬲侠胃脘內癰正當衝脈帶脈之部分也帶脈者起於季脅迴身一周橫絡於齊下衝脈者與足少陰之絡起於腎下出於氣街循陰股其上行者出齊下同身寸之三寸關元之分侠齊直上循然各行會於咽喉故病當其分則少腹盛上下左右皆有根也以其上下堅盛如有潛梁故曰病名伏梁不可治也以裹大膿血居腸胃之外按之痛悶不甚故每切按之致死也以衝脈下行者絡陰上行者循腹故也上則迫近於胃脘下則因薄於陰器也若因薄於陰則便下膿血若迫近於胃則病氣上出於鬲復侠胃脘內癰其病也何以然言以本有大膿血在腸胃之外故也生當為出傳文誤也○新校正云按太素侠胃作使胃此久病也難治居齊上為逆居齊下為從勿動亟奪若裹大膿血居齊上則漸傷心藏故為逆居齊下則去心稍遠猶得漸攻故為從從順也亟數也奪去也言不可移動但數數奪去之則可矣論在刺法中今經亡帝曰人有身體髀股䯒

腫環齊而痛是為何病岐伯曰病名伏梁此二十六字錯簡在奇病論中若不有此二十六字則下文無據也○新校正云詳此並無注解盡在下卷奇病論中此風根也此四字此篇本有奇病論中亦有之其氣溢於大腸而著於肓肓之原在齊下故環齊而痛也不可動之動之為水溺濇之病亦衝脉也齊下謂脖胦在齊下同身寸之一寸半靈樞經曰肓之原名曰脖胦脖蒲沒反胦烏朗反帝曰夫子數言熱中消中不可服高梁芳草石藥石藥發瘨芳草發狂多飲數溲謂之熱中多食數溲謂之消中多喜曰瘨多怒曰狂芳草芳美味也夫熱中消中者皆富貴人也今禁高梁是不合其心禁芳草石藥是病不愈願聞其說熱中消中者脾氣之上溢甘肥之所致故禁食高梁芳美之草並通評虛實論曰凡治消癉甘肥貴人則高梁之疾也又奇病論曰夫五味入於口藏於胃脾為之行其精氣津液在脾故令人口甘此肥美之所發也此人必數食甘美而多肥也肥者令人內熱甘者令人中滿故其氣上溢轉為消渴此之謂也夫富貴人者驕恣縱欲輕人而無能禁之禁之則逆其志順之則加其病帝思

禁說故發問也高膏粱米也石藥英乳也芳草濃美也然此五者富貴人常服之難禁也岐伯曰夫
芳草之氣美石藥之氣悍二者其氣急疾堅勁故非緩
心和人不可以服此二者脾氣溢而生病氣美則重盛於脾脾清熱之氣躁疾氣悍則
又滋其熱熱者人性和心緩氣候舒勻不與物爭釋然寬泰則神不躁迫無懼內傷故非緩心和人不可以服此
二者悍利也堅定也固也勁剛也言其芳草石藥之氣堅定固久剛烈而卒不歇滅此二者是也帝曰
不可以服此二者何以然岐伯曰夫熱氣慓悍藥氣亦
然二者相遇恐內傷脾慓疾也脾者土也而惡木服此藥
者至甲乙日更論熱氣慓盛則木氣內餘故心非和緩則躁怒數起躁怒數起則熱氣因木
以傷脾甲乙遂木王至甲乙日更論脾病之增減也帝曰善有病膺腫新校正云按甲乙經
作蓄一頸痛胸滿腹脹此為何病何以得之膺胸傍也頸項前也胸膺
間也岐伯曰名厥逆氣逆所生故名厥逆帝曰治之奈何岐伯曰灸
之則瘖石之則狂須其氣并乃可治也石謂以石針開破之帝曰

何以然岐伯曰陽氣重上有餘於上灸之則陽氣入陰入則瘖石之則陽出內虛則狂灸之則火氣助陽陽盛故入陰石之則陽氣出陽氣出則內不足故狂須其氣并而治之可使全也并謂并合也待自并合則兩氣俱全故可治若不全而灸石之則偏致勝負故不得全而瘖狂也帝曰善何以知懷子之且生也岐伯曰身有病而邪無脈也病謂經閉也脈法曰尺中之脈來而斷絕者經閉也月水不利若尺中脈絕者經閉也今病經閉脈反如常者婦人姙娠之證故云身有病而無邪脈帝曰病熱而有所痛者何也岐伯曰病熱者陽脈也以三陽之動也人迎一盛少陽二盛太陽三盛陽明入陰也夫陽入於陰故病在頭與腹乃䐜脹而頭痛也帝曰善新校正云按六節藏象論云人迎一盛病在少陽二盛病在太陽三盛病在陽明與此論同又按甲乙經三盛陽明無入陰也三字

（一）刺腰痛篇第四十一新校正云按全元起本在第六卷

足太陽脉令人腰痛引項脊尻背如重狀
足太陽脉別下項循肩髆內侠脊抵腰中別下貫臀故令人腰痛引項脊尻背如重狀也○新校正云按甲乙經貫臀作貫胂刺瘧注亦如作貫胂三部九候注作貫臀尻枯熬反
刺其郄中太陽正經出血春無見血
郄中委中也在膝後屈處膕中央約文中動脉足太陽脉之所入也刺可入同身寸之五分留七呼若灸者可灸三壯太陽合腎腎王於冬水衰於春故春無見血也
少陽令人腰痛如以鍼刺其皮中循循然不可以俛仰不可以顧
足少陽脉遶髦際橫入髀厭中故令腰痛如以針刺其皮中循循然不可俛仰少陽之脉起於目銳眥上抵頭角下耳後循頸行手陽明之前至肩上交出手少陽之後其支別者目銳眥下大迎合手少陽於頄下加頰車下頸合缺盆故不可以顧○新校正云按甲乙經行手陽明之前作行手少陽之前也
刺少陽成骨之端出血成骨在膝外廉之骨獨起者夏無見血
成骨謂膝外近下胻骨上端兩起骨相並間陷容指者也胻骨所成柱膝髀骨故謂之成骨也少陽合肝肝主於春木衰於夏故無見血也
陽明令人腰痛不可以顧顧如有見者善悲
足陽明脉起於鼻交

頞中下循鼻外入上齒中還出俠口環脣下交承漿卻循頤後下廉出大迎其支別者從大迎前下人迎循喉嚨入缺盆又其支別者起胃下口循腹裏至氣街中而合以下髀故令人腰痛不可顧顧如有見者陽虛故悲也

刺陽明於胻前三痏，上下和之出血，秋無見血。按內經中誥流注圖經陽明脈穴俞之所主此腰痛者悉刺胻前二痏則正三里穴也三里穴在膝下同身寸之三寸胻骨外廉兩筋肉分間刺可入同身寸之一寸留七呼若灸者可灸三壯陽明合脾脾王長夏土衰於秋故秋無見血○新校正云按甲乙經胻作骭

足少陰令人腰痛，痛引脊內廉。足少陰脈上股內後廉貫脊屬腎故令人腰痛痛引脊內廉也○新校正云按全元起本脊內廉作脊內痛太素亦同此前少足太陰腰痛證并刺足太陰法應古文闕簡也

刺少陰於內踝上二痏，春無見血，出血太多，不可復也。按內經中誥流注圖經少陰脈穴俞所主此腰痛者當刺內踝上則正復溜穴也復溜見內踝後上同身寸之二寸動脈陷者中刺可入同身寸之三分留三呼若灸者可灸五壯

厥陰之脈令人腰痛，腰中如張弓弩弦。足厥陰脈自陰股環陰器抵少腹其支別者與太陰少陽結於腰髁下俠脊第三第四骨空中其穴即中髎下髎故腰痛則中如張

弓弩之弦也如張弦者言強急之甚刺厥陰之脈在腨踵魚腹之外循之
累累然乃刺之腨踵者言脈在腨外側下當足跟也腨形勢如臥魚之腹故曰魚腹之外也循
其分內有血絡累累然乃刺出之此正當蠡備穴分足厥陰之絡在內踝上五寸別走少陽者刺可入同身寸
之二分留三呼若灸者可灸三壯厥陰三經作居陰是傳寫草書厥字為居也○新校正按經云厥陰之脈令
人腰痛次言刺厥陰之脈注言刺厥陰之絡經注相違疑經中脈字乃絡字之誤也腨時轉反其病令
人善言嘿嘿然不慧刺之三痏厥陰之脈循喉嚨之後上入頏顙絡於舌本故
病則善言風盛則昏冒故不爽慧也三刺其處腰痛乃除○新校正云按經云善言嘿嘿然不慧詳善言嘿嘿
二病雖相兼全元起本無善字於義為允又按甲乙經厥陰之脈不絡舌本王氏於素問之中五處引注而注
厥論與刺熱及此一篇皆云絡舌本注風論注痺論二篇不言絡舌本蓋王氏亦疑而兩言之也解
令人腰痛痛而引肩目䀮䀮然時遺溲解脈散行脈也言不合而別行
也此足太陽之經起於目內眥上額交巔上循肩髆俠脊抵腰中入循膂絡腎屬膀胱下入膕中故病斯候也
又其支別者從髆內別下貫胂循髀外後廉而下合於膕中二脈如繩之解股故名解脈也刺解脈

膝筋肉分間郄外廉之横脉出血血變而止膝後兩傍大筋之上股之後兩筋之間横文之處努肉高起則郄中之分也古中誥以膕中為太陽之郄當取郄外廉有血絡横見迢然紫黑而盛滿者乃刺之當見黑血必候其血色變赤乃止血不變赤極而寫之必行血色變赤乃止此太陽中經之為腰痛也

解脉令人腰痛如引帶常如折腰状善恐足太陽之別脉自肩而別下循背脊至腰而横八髎外後廉而下合膕中故若引帶如折腰之状○新校正云按甲乙經如引帶作如裂善恐作善怒

刺解脉在郄中結絡如黍米刺之血射以黑見赤血而已郄中則委中穴足太陽合也在膝後屈處膕中央約文中動脉刺可入同身寸之五分留七呼若灸者可灸三壯此經刺法也今刺取其結絡大如黍米者當黑血箭射而出見血變赤然可止也○新校正云按全元起云有兩解脉病源各異恐誤未詳

同陰之脉令人腰痛痛如小錘居其中怫然腫足少陽之別絡也並少陽經上行去足外踝上同身寸之五寸乃別走厥陰並經下絡足跗故曰同陰脉也怫怒也言腫如嗔怒也○新校正云按太素小錘作小鍼怫音弗

刺同陰之脉在外踝上絶骨之端為三痏絶骨之端

如前同身寸之三分陽輔穴也足少陽脉所行可入同身寸之五分留七呼若灸者可灸三壯

刺陽維之脉令人腰痛痛上怫然腫

陽維起於陽則太陽之所生奇經八脉此其一也

刺陽維之脉脉與太陽合腨下間去地一尺所

太陽所主與正經[illegible]行而上至腨下復與太陽合而上也腨下去地正同[illegible]寸之一尺是則承光穴在鋭腨腸下肉分間陷者中刺可入同身寸之七分若灸者可灸五壯以其取處腸下肉分間故云合腨下間○新校正云按穴之所在乃承山穴非承光也山字誤為光

衡絡之脉令人腰痛不可以俛仰則恐仆得之舉重傷腰衡絡絕惡血歸之

衡横也謂太陽之外絡自腰中横入髀外後廉而下與中經合於膕中者今一舉重傷腰則横絡絕中經獨盛故腰痛不可以俛仰矣經作行絕之脉傳寫魚魯之誤也若是行脉中詳不應取太陽脉委陽殷門之穴也

刺之在郄陽筋之間上郄數寸衡居為二痏出血

横居二穴謂委陽殷門平視横相當也郄陽謂浮郄穴土側委陽穴也筋之間謂膝後膕上兩筋之間殷門穴也二穴各去臀下横文同身寸之六寸故曰上郄數寸也委陽刺可入同身寸之七分留五呼若灸者可灸三壯殷門刺可入同身寸之五分留七呼若

灸者可灸三壯，故曰行居為二痏。○新校正云：詳王氏云浮郄穴上側委陽穴也，按甲乙經委陽在浮郄穴下一寸，不得言上側也。

會陰之脈令人腰痛，痛上漯漯然汗出，汗乾令人欲飲，飲已欲走，足太陽之中經也。其脈循腰下會於後陰，故曰會陰之脈。其經自腰下行至足，今陽氣大盛，故痛上漯漯然汗出。汗液既出，則胃燥陰虛，故汗乾令人欲飲水以救腎也。水入腹已，腎氣復生，陰氣流行，太陽又盛，故飲水已反欲走也。刺直陽之脈上三痏，在蹻上郄下五寸橫居，視其盛者出血。直陽之脈則大陽之脈，俠脊下行貫臀，下至膕中，下循腨，過外踝之後，條直而行者，故曰直陽之脈也。蹻謂陽蹻所生申脈穴，在外踝下也。郄下則膕下也。言此刺處在膕下同身寸之五寸，上承郄中之穴，下當中脈之位，是謂承筋穴，即腨中央如外陷者中也。太陽脈氣所發，禁不可刺，可灸三壯。今云刺者，謂刺其血絡之盛滿者也。兩腨皆有太陽經氣下行，當視兩腨中央有血絡盛滿者，乃刺出之，故曰視其盛者出血。○新校正云：詳上云會陰之脈令人腰痛，此云刺直陽之脈者，詳此直陽之脈即會陰之脈也，文變而事不殊。又承筋穴注云腨中央如外，按甲乙經及骨空論注無如外二字。

飛陽之脈令人腰痛，痛上怫怫然，甚則悲以恐，是陰維之脈也。

去內踝上同身寸之五寸腨分中並少陰經而上也少陰之脉前則陰維脉所行也足少陰之脉從腎上貫肝鬲入肺中循喉嚨俠舌本其支別者從肺出絡心注胸中故甚則悲以恐也恐者生於腎悲者生於心刺飛陽之脉在內踝上五寸新校正云按甲乙經作二寸少陰之前與陰維之會內踝後上同身寸之五寸復溜穴少陰脉所行刺可入同身寸之三分內踝之後築賓穴陰維之郄刺可入同身寸之三分若灸者可灸五壯少陰之前陰維之會以三脉會在此穴分位也刺可入同身寸之三分若灸者可灸五壯今中誥經文正同此法○新校正云按甲乙經足太陽之絡別走少陰者名曰飛陽在外踝上七寸又云築賓陰維之郄在內踝上腨分中復溜穴在內踝上二寸今此經注都與甲乙不合者疑經注中五寸字當作二寸則素問與甲乙相應矣昌陽之脉令人腰痛痛引膺目䀮䀮然甚則反折舌卷不能言陰蹻脉也陰蹻者足少陰之別也起於然骨之後上內踝之上直上循陰股入陰而循腹上入胸裏入缺盆上出人迎之前入頄內廉屬目內眥合於太陽陽踝而上行故腰痛之狀如此刺內筋為二痏在內踝上大筋前太陰後上踝二寸所內筋謂大筋之前分肉也太陰後大筋前即陰蹻之郄交信穴也在

內踝上同身寸之二寸，少陰前，太陰後，筋骨之間陷者之中，刺可入同身寸之四分，留五呼，若灸者可灸三壯。今中誥經文正主此。

散脈令人腰痛而熱，熱甚生煩，腰下如有横木居其中，甚則遺溲。散脈，足太陰之別也，散行而上，故以名焉。其脈循股內入腹中，與少陰少陽結於腰髁下骨空中，故病則腰下如有横木居其中，甚乃遺溲也。

刺散脈在膝前骨肉分間，絡外廉束脈，為三痏。謂膝前內側也。骨肉分，謂膝內輔骨之下，下廉腨肉之兩間也。絡外廉，則太陰之絡，色青而見者也。輔骨之下後有大筋，一束膝胻之骨，令其連屬，取此筋骨繫束之處脈，以去其病，是曰地機，三刺而已，故曰束脈為之三痏也。

肉里之脈令人腰痛，不可以欬，欬則筋縮急。肉里之脈，少陽所生，則陽維之脈氣所發也。里，裏也。

刺肉里之脈為二痏，在太陽之外，少陽絕骨之後。分肉主之。一經云：少陽絕骨之前，傳寫誤也。絕骨之前，足少陽脈所行；絕骨之後，陽維脈所過。故指曰在太陽之外，少陽絕骨之後也。分肉穴在足外踝直上絕骨之端，如後同身寸之二分，筋肉分間，陽維脈氣所發，刺可入同身寸之五分，留十呼，若灸者可灸三壯。○新校正云：按分肉之穴，甲乙經不見，與氣穴注兩出，而分寸不同。氣穴注二分作三分，五

分作三分十呼作七呼腰痛俠脊而痛至頭几几然，目䀮䀮欲僵
仆，刺足太陽郄中出血。郄中，委中。○新校正云：按太素作頭沉沉然腰痛上
寒，刺足太陽陽明；上熱，刺足厥陰；不可以俛仰，刺足少
陽；中熱而喘，刺足少陰，刺郄中出血。此法玄妙，中誥不同，莫可窺測，當用上寒
知其應，不尔皆應先去血絡，乃調之也。腰痛上寒不可顧，刺足陽明；陰市
主之。陰市在膝上同身寸之三寸伏兔下陷者中，足陽明脉氣所發，刺可入同身寸之三分，留七呼，若灸者可
灸三壯。不可顧，三里主之。三里在膝下同身寸之三寸，膝外廉兩筋肉分間，足陽明脉之所入也，刺可入同身
寸之三寸，留七呼，若灸者可灸三壯。上熱，刺足太陰；地機主之，地機在膝下同身寸之五寸，足
太陰之郄也，刺可入同身寸之三分，若灸者可灸三壯。○新校正云：按甲乙經作五壯也。中熱而喘，
刺足少陰。涌泉、太鍾悉主之。涌泉在足心陷者中，屈足捲指宛宛中，足少陰脉之所出，刺可入同身
寸之三分，留三呼，若灸者可灸三壯。大鍾在足跟後衝中動脉，足少陰之絡，刺可入同身寸之二分，留七呼，若
灸者可灸三壯。○新校正云：按刺瘧注大鍾在內踝後衝中，水穴論注在內踝後，此注在跟後衝中動脉，三注

不同甲乙經亦云在跟後衝中當從甲乙經為正太便難刺足少陰涌泉主之少腹
滿刺足厥陰大衝主之在足大指本節後內間同身寸之二寸陷者中脈動應手足厥陰脈之所
注也刺可入同身寸之三分留十呼若灸者可灸三壯如折不可以俛仰不可舉
刺足太陽如折束骨主之不可以俛仰京骨崐崘悉主之不可舉申脈僕參悉主之束骨在足小指
外側本節後赤白肉際陷者中足太陽脈之所注也刺可入同身寸之三分留三呼若灸者可灸三壯京骨在
足外側大骨下赤白肉際陷者中按而得之足太陽脈之所過也刺可入同身寸之三分留七呼若灸者可灸
三壯崐崘在足外踝後跟骨上陷者中細脈動應手足太陽脈之所行也刺可入同身寸之五分留十呼若灸
者可灸三壯申脈在外踝下同身寸之五分容爪甲陽蹻之所生也刺可入同身寸之六分留十呼若灸者可
灸三壯僕參在跟骨下陷者中足太陽陽蹻二脈之會刺可入同身寸之三分留七呼若灸者可灸三壯〇新
校正云按甲乙經申脈在外踝下陷者中無五分字刺入六分作三分留十呼作留六呼氣穴注作七壯僕參
留七呼甲乙經作六呼引脊內廉刺足少陰復溜主之取周飛陽注從腰痛上寒不可
顧至此件經語除注並合朱書〇新校正云按全元起本及甲乙經并太素自腰痛上寒至此並無乃王氏所

添也今注云從腰痛上寒至並合朱書字非王冰之語蓋後人所加也腰痛引少腹控䏚不可以仰新校正云按甲乙經作不可以俛仰字䏚音妙刺腰尻交者兩髁胂上以月生死為痏數發鍼立已此邪客於足太陰之絡也控通引也䏚謂季脅下之空軟處也腰尻交者謂髁下尻骨二傍四骨空左右八穴俗呼此骨為八髎骨也此腰痛取腰髁下第四髎即下髎穴也足太陰厥陰少陽三脉左右交結於中故曰腰尻交者也兩髁胂謂兩髁骨下堅起肉也胂上非胂之上巔正當刺胂肉矣直刺胂肉即胂上也何者胂之上巔別有中脊肉俞白環俞雖並主腰痛考其形證經不相應矣髁骨即腰脊兩傍起骨之夾脊兩傍腰髁之下各有胂肉隴起而斜趨於髁骨之後內承其髁故曰兩髁胂也下承髁胂肉左右兩胂各有四骨空故曰上髎次髎中髎下髎上髎當髁骨下陷者中餘三髎少斜下按之陷中是也四空悉主腰痛惟下髎所主文與經同即太陰厥陰少陽所結者也刺可入同身寸之二寸留十呼若灸者可灸三壯以月生死為痏數者月初向圓為月生月半向空為月死死月刺少生月剌多繆刺論曰月生一日一痏二日二痏漸多之十五日十五痏十大日十四痏漸少之其痏數多少如此即知之髁苦瓦反髎音遼左取右若取左痛在左針取右痛在右針取左所以然者以其脉左

右交結於尻骨之中故也○新校正云詳此骨痛引少腹一節與繆刺論重

○風論篇第四十二 新校正云按全元起本在第九卷

黃帝問曰、風之傷入也、或為寒熱、或為熱中、或為寒中、或為癘風、或為偏枯、或為風也、其病各異、其名不同、或內至五藏六府、不知其解、願聞其說、傷謂入自中之岐伯對曰、風氣藏於皮膚之間、內不得通、外不得泄、腠理開踈則邪風入風氣入已玄府閉封故內不得通外不得泄也風者善行而數變、腠理開則洒然寒、閉則熱而悶、洒然寒皃悶不爽皃腠理開則風飄揚故寒腠理閉則風混亂故悶其寒也則衰食飲、其熱也則消肌肉、故使人怢慄而不能食、名曰寒熱、寒風入胃故食飲衰熱氣內藏故消肌肉寒熱相合故怢慄而不能食名曰寒熱也怢慄卒振寒皃○新校正云詳怢慄全元起本作失味甲乙經作解㑊風氣與陽明入胃、循脉而上至目內眥、其人肥則風氣不得外泄、則為熱中、

※2　※1

※1

※2

而目黃人瘦則外泄而寒則爲寒中而泣出陽明者胃脉也胃脉
起於鼻交頞中下循鼻外入上齒中還出俠口環脣下交承漿却循頤後下廉循喉嚨入缺盆下鬲屬胃故與
陽明入胃循脉而上至目內眥也人肥則腠理密緻故不行外泄則爲熱中而目黃人瘦則腠理開疏風得外
泄則寒中而泣出也風氣與太陽俱入行諸脉俞散於分肉之間
與衛氣相干其道不利故使肌肉憤䐜而有瘍衛氣有
所凝而不行故其肉有不仁也肉分之間衛氣行處風與衛氣相薄俱行於肉
分之間故氣道澀而不利也氣道不利風氣內攻衛氣相持故肉憤䐜而瘡出也瘍瘡也若衛氣被風吹之不
得流轉所在偏併凝而不行則肉有不仁之處也不仁謂痹而不知寒熱痛痒癘者有榮衛熱
胕其氣不清故使鼻柱壞而色敗皮膚瘍潰此則風入於經脉之
中也榮行脉中故風入脉中內攻於血與榮氣合合熱而血胕壞也其氣不清言潰亂也然血脉潰亂榮復挾
風陽脉盡上於頭鼻爲呼吸之所故鼻柱壞而色惡皮膚破而潰爛也脉要精微論曰脉風盛爲癘潰胡對反
風寒客於脉而不去名曰癘風或名曰寒熱始爲寒熱熱成曰癘

風乙新校正云按刑辛成一作盛以春甲乙傷於風者為肝風以夏丙丁傷於風者為心風以季夏戊己傷於邪者為脾風以秋庚辛中於邪者為肺風以冬壬癸中於邪者為腎風春甲乙木肝主之夏丙丁火心主之季夏戊己土脾主之秋庚辛金肺主之冬壬癸水腎主之風中五藏六府之俞亦為藏府之風各入其門戶所中則為偏風隨俞左右而偏中之則為偏風風氣循風府而上則為腦風風入係頭則為目風眼寒風府穴名正入項髮際一寸大筋內宛宛中督脈陽維之會自風府而上則腦戶也腦戶者督脈足太陽之會故循風府而上則為腦風也足太陽之脈起於目內眥上額交巔上入絡腦還出故風入係頭別下項目風眼寒也飲酒中風則為漏風熱鬱腠疏中風汗出多如液漏故曰漏風經具名曰酒風入房汗出中風則為內風內耗其精外開腠理因內風襲故曰內風經具名曰勞風新沐中風則為首風沐髮中風舍於頭故曰首風矣風入中則為腸風飧泄風熏腸中上熏於胃故食不化而下出焉飧泄者食不化而出

也○新校正云按全元起本[illegible]云飧泄者水穀不分[illegible]外在腠理則為泄風[illegible]腠理開通風薄汗泄故云泄風[illegible]故風者百病之長也至其變化乃為他病也無常方然致有風氣也[illegible]百[illegible]本及○甲乙經致字作故帝曰五藏風之形狀不同者何願聞其診及其病能[illegible]岐伯曰肺風之狀多汗惡風色皏然白時欬短氣晝日則差暮則甚診在眉上其色白[illegible]肺内多風[illegible]風薄於内故多汗惡風[illegible]汗[illegible]主[illegible]氣迫之故[illegible]在表[illegible]故[illegible]上[illegible]之部所以[illegible]白肺色也[illegible]眉上謂兩眉間[illegible]心風之狀多汗惡風焦絕善怒嚇赤色病甚則言不可快診在口其色赤[illegible]焦絕謂文理焦[illegible]斷絕也何者熱則皮剝故也風薄於心則神亂故善怒嚇而[illegible]人也心脉支別者從心系上俠咽[illegible]主舌故脉甚則言不可快也口脣色赤故診在焉[illegible]赤○新校正云按甲乙經無嚇字[illegible]肝風之狀多

汗惡風，善悲，色微蒼、嗌乾，善怒，時憎女子、診在目下、其色青。

肝病則心藏無養，心氣虛，故善悲。肝合木，木色蒼，故色微蒼也。肝脉者，循股陰入髦中，環陰器，抵少腹，俠胃屬肝絡膽，上貫鬲，布脇肋，循喉嚨之後，入頏顙，上出額，與督脉會於巔。其支別者，從目系下，故嗌乾，善怒，時憎女子，診在目下也。青，肝色也。

脾風之狀，多汗惡風，身體怠墮、四支不欲動、色薄微黃，不嗜食，診在鼻上，其色黃。

脾脉起於足，上循胻骨，入上膝股內前廉，入腹屬脾絡胃，上鬲俠咽，連舌本，散舌下。其支別者，復從胃別上鬲，注心中。心脉出於手，循臂，故身体怠惰，四支不欲動而不嗜食。脾氣合土，主中央，鼻於面部亦居中，故診在焉。黃，脾色也。〇新校正云：按王注脾風不當引心脉出於手循臂七字，於義無取。脾主四支，脾風則四支不欲動矣。

腎風之狀，多汗惡風，面痝然浮腫、脊痛，不能正立、其色炲、隱曲不利，診在肌上、其色黑。

痝然，言腫起也。炲，黑色也。腎者陰也，目下亦陰也，故腎藏受風，則面痝然而浮腫。腎脉者，起於足下，上循腨內，出膕內廉，上股內後廉，貫脊，故脊痛不能正立也。隱曲者，謂隱蔽委曲之處也。腎藏精，外應交接，今藏被風薄，精氣內微，故隱蔽委曲之事不通利所為也。陰陽應象大論曰：

言胃精精食氣今精不足則氣內歸揹氣不注皮故肌皮上暴也暴胃色也胃風之狀頸多汗惡風、食飲不下鬲塞不通腹善滿、失衣則䐜脹、食寒則泄、診形瘦而腹大胃之脉支別者頤後下廉過入迎循喉嚨入缺盆下鬲屬胃絡脾其直行者從缺盆下乳內廉下挾臍入氣街中其支別者起胃下口循腹裏至氣街中而合故頸多汗食飲不下鬲塞不通腹善滿也然失衣則外寒而中熱故䐜脹食寒則寒物薄胃而陽不內消故泄利胃合脾而主肉胃氣不足則肉不長故瘦也胃中風氣稸聚故腹大也○新校正云按孫思邈云新食竟取風為胃風首風之狀頭面多汗惡風當先風一日則病甚頭痛不可以出内至其風日則病少愈頭者諸陽之會風客之則皮腠疎故頭面多汗也夫人陽氣外合於風故先當風一日則病甚以先風甚故亦先衰是以至其風日則病少愈內謂室屋之內也不可以出室屋之內者以頭痛甚而不喜外風故也○新校正云按孫思邈云新沐浴竟取風為首風漏風之狀、或多汗常不可單衣、食則汗出、甚則身汗、喘息惡風衣常濡口乾善渴不能勞事肺胃風熱故不可單衣腠理開疎故食則汗出甚熱寒薄於肺則身汗喘息惡風衣裳濡口乾善渴也形勞則喘息故不能勞事○新校正云按孫思邈云因醉取風為漏風其狀惡風多汗少氣口乾善渴近衣則身熱如火臨食則汗流如雨骨節懈惰不欲自勞

泄風之狀多汗汗出泄衣上口中乾上漬其風不能勞事身體盡痛則寒上漬謂皮上濕如水漬也以多汗出故汗多則津液涸故口中乾形勞則汗出甚故不能勞事身體盡痛以其汗多汗多則亡陽故寒也○新校正云按孫思邈云新房室竟取風為內風其狀惡風汗流沾衣裳疑此泄風乃內風也按本篇前文先云漏風內風言入中為腸風在外為泄風今有泄風而無內風孫思邈載內風乃此泄風之狀故知此泄字內之誤也帝曰善

○痺論篇第四十三新校正云按全元起本在第八卷

黃帝問曰痺之安生安猶何也言何以生岐伯對曰風寒濕三氣雜至合而為痺也雖合而為痺發起亦殊矣其風氣勝者為行痺寒氣勝者為痛痺濕氣勝者為著痺也風則陽受之故為痺行寒則陰受之故為痺痛濕則皮肉筋脈受之故為痺著而不去也故乃痺從風寒濕之所生也帝曰其有五

者代也言風[illegible]則[illegible]生有五而何[illegible]也岐伯曰以冬遇此者為骨痺以春遇此者為筋痺以夏遇此者為脉痺以至陰遇此者為肌痺以秋遇此者為皮痺冬主骨春主筋夏主脉秋主皮至陰主肌肉故[illegible]也陰謂戊己月及土寄三月也帝曰內舍五藏六府何氣使然言皮肉筋骨[illegible]痺以五時之外遇[illegible]內居[illegible]府[illegible]以[illegible]之岐伯曰五藏皆有合肝合[illegible]心合脉脾合肉肺合皮腎合骨久合病久而不去者內舍於其合也病不去則入於是故骨痺不已復感於邪內舍於腎筋痺不已復感於邪內舍於肝脉痺不已復感於邪內舍於心肌痺不已復感於邪內舍於脾皮痺不已復感於邪內舍於肺所謂痺者各以其時重感於風寒濕之氣也時謂氣王之月也肝王春心王夏肺王秋腎王冬脾王四季之月感謂感應也凡痺之客五藏者肺痺者煩滿喘而嘔以藏氣應息又其脉還循胃口故使煩滿喘而嘔心痺者脉

不通，煩則心下鼓，暴上氣而喘，嗌乾善噫，厥氣上則恐。

心合脈，受邪則脈不通利也。邪氣內擾，故煩也。手心主心包之脈，起於胸中，出屬心包，下鬲。手少陰心脈，起於心中，出屬心系，作鬲絡小腸。其支別者，從心系上俠咽喉。其直者，復從心系却上肺。故煩則心下鼓滿，暴上氣而喘，嗌乾也。心主為噫，以下鼓滿，故噫之以出氣也。若是逆氣上乘於心，則恐畏也，神懼凌弱故介。

肝痺者，夜臥則驚，多飲數小便，上為引如懷。

肝主驚駭，氣相應，故中夜臥則驚也。肝之脈，循股陰入髦中，環陰器，抵少腹，俠胃屬肝絡膽，上貫鬲，布脇肋，循喉嚨之後，上入頏顙，故多飲水，數小便，上引少腹，痛懷任之狀。

腎痺者，善脹，尻以代踵，脊以代頭。

腎者胃之關，關不利則胃氣不轉，故善脹也。尻以代踵，謂足攣急也。脊以代頭，謂身蜷屈也。踵，足跟也。腎之脈，起於小指之下，斜趣足心，出於然谷之下，循內踝之後，別入跟中，以上腨內，出膕內廉，上股內後廉，貫脊屬腎絡膀胱。其直行者，從腎上貫肝鬲，入肺中。氣不足而受邪，故不伸屈。○新校正云：詳然骨一作然谷。

脾痺者，四支解墯，發欬嘔汁，上為大塞。

土王四季，外主四支，故四支解墯。又以其脈起於足，循腨胻上膝股也。其支脈入腹屬脾絡胃，上鬲俠咽，故發欬嘔汁。肝氣乘則胃復逆咽，故上為大塞也。

十七

腸痹者數飲而出不得中氣喘爭時發飧泄太腸之脈入缺盆絡肺下鬲屬大腸小腸之脈又入缺盆絡心循咽下鬲抵胃屬小腸今小腸有邪則脈不下鬲脈不下鬲則腸下行化而胃氣蓄熱故多飲水而不得下出也腸胃中陽氣與邪氣奔喘交爭得時通利以腸氣不化故雖或得通則飧泄焉

胞痹者少腹膀胱按之內痛若沃以湯澀於小便上為清涕膀胱為津液之府胞內居之少腹處關元之中內藏胞器然膀胱之脈起於目內眥上額交巔上入絡腦出別下項循肩髆內俠脊抵腰中入循膂絡腎屬膀胱其支別者從腰中下貫臀入膕中今胞受風寒濕氣則膀胱太陽之脈不得下流於足故少腹膀胱按之內痛若沃以湯澀於小便也小便[illegible]澀太陽之脈不得下行故上爍其腦而為清涕出於鼻竅矣沃猶灌也○新校正云按全元起本內痛二字作兩髀

陰氣者靜則神藏躁則消亡陰謂五神藏也所以說神藏與消亡者言人安靜不涉邪氣則神氣寧以內藏人躁動觸冒邪氣則神被害而離散藏無所守故曰消亡此言五藏受邪之為痹也

飲食自倍腸胃乃傷藏以躁動致傷府以食飲見損皆謂過用越性則受其邪此言六府受邪之為痹也

淫氣喘息痹聚在肺淫氣憂思痹聚在心淫

氣遺溺痹聚在腎淫氣乏竭痹聚在肝淫氣肌絕痹聚
在脾○淫氣謂氣之妄行者各隨藏之所主而入爲痹也新校正云詳從上凡痹之客五藏者至此全元
起本在陰陽別論中此王氏之所移也諸痹不已亦益內也從外不去則益深至於身
內其風氣勝者其人易已也帝曰痹其時有死者或疼
久者或易已者其故何也岐伯曰其入藏者死其留連
筋骨間者疼久其留皮膚間者易已入藏者死以神去也筋骨疼久以其
定也皮膚易已以浮淺也內著深淺故有是不同帝曰其客於六府者何也岐
伯曰此亦其食飲居處爲其病本也四方雖土地溫涼高下不同物性剛
柔食居不異但動過其分則六府致傷陰陽應象大論曰水穀之寒熱感則害六府○新校正云按傷寒論曰
物性剛柔飲居亦異六府亦各有俞風寒濕氣中其俞而食飲應
之循俞而入各舍其府也六府俞亦謂背俞也膽俞在十椎之傍胃俞在十二椎之
傍三焦俞在十三椎之傍大腸俞在十六椎之傍小腸
俞在十八椎之傍膀胱俞在十九椎之傍隨形分長一

而取之[illegible]是各去脊[illegible][illegible]寸之一寸三分並足太陽脈
氣之應[illegible]也○新校正云詳六府俞並在本椎下兩傍
此正言[illegible][illegible]之
屬言文[illegible]也
帝曰以鍼治之奈何岐伯曰五藏有俞
六府有合循脈之分各有所發各隨其過
新校正云按甲乙經隨作循
治則病瘳也
肝之俞曰太衝心之俞曰大陵脾之俞曰
太白肺之俞曰太淵腎之俞曰大谿皆經
脈之所注也太衝在足大指間本節後二寸陷者中○
新校正云按刺腰痛注云大衝在足大指本節後內間
二寸陷者中動脈應手刺可入同身寸之三分留十呼
若灸者可灸三壯大陵在手掌後骨兩筋間陷者中刺
可入同身寸之六分留七呼若灸者可灸三壯太白在
足內側核骨下陷者中刺可入同身寸之三分留七呼
若灸者可灸三壯太淵在手掌後陷者中刺可入同身
寸之二分留二呼若灸者可灸三壯太谿在足內踝後
跟骨上動脈陷者中刺可入同身寸之三分留七呼若
灸者可灸三壯胃合入于三里膽合入于陽陵泉大腸
合入于曲池小腸合入于小海三焦合入于委陽膀胱
合入于委中三里在膝下三寸胻外廉兩筋間刺可入
同身寸之一寸留十呼若灸者可灸三壯陽陵泉在膝
下一寸胻外廉陷者中刺可入同身寸之六分留十呼
若灸者可灸三壯小海在肘內大骨外去肘端五分陷
者中屈肘乃得之刺可入同身寸之二分留七呼若灸

者可灸五壯曲池在肘外輔屈肘曲骨之中刺可入同身寸之五分留七呼若入者可灸三壯委陽在足膕中外廉兩筋間刺可入同身寸之七分留五呼若灸者可灸三壯屈伸而取之委中在膕中央約文中動脈刺可入同身寸之五分留七呼若灸者可灸三壯○新校正云按刺熱注委中在足膝後屈處餘盂同此○故經言循脈之分各有所發各隨其過則病瘳也過謂脈所經過處○新校正云詳王氏以委陽為三焦合按甲乙經云委陽三焦下輔俞也足太陽之別絡三焦之合自在手少陽經天井穴為少陽肝之所入為合詳此六府之合與引本經所八之穴獨三集不引本經所入之穴者王氏之説也王氏但見甲乙經云三焦合于委陽彼説自異彼又以大陽之合于巨虚上廉小腸合于下廉其以曲池小海易之故知當以天井穴為合也

帝曰：榮衛之氣亦令人痺乎？岐伯曰：榮者，水穀之精氣也，和調於五藏，灑陳於六府，乃能入於脈也。正理論曰谷入於胃脈道乃行水入於經其血乃成又靈樞經曰營氣之道內谷為寶○新校正云按別本寶作實谷入於胃氣傳與肺精專者上行經隧由此故水谷精氣合榮氣運行而入於脈也故循脈上下，貫五藏，絡六府也。榮行脈內故無所不至衛者，水穀之悍氣也，其氣慓疾滑利不能入於脈也悍氣謂浮盛之氣也以其浮盛之氣故慓疾滑利不能入於脈中也故循皮膚之中分肉之間熏於肓膜散於胸腹皮膚之中分肉之間謂脈外也肓膜謂五藏之間鬲中膜也以其浮盛故能布散於胸腹之中空虛之處熏其肓膜令氣宣通也肓音荒逆其氣則病從其氣則愈不與風寒濕氣合故不為痺帝曰善痺或痛或不痛或不仁或寒或熱或燥或濕其故何也岐伯曰痛者寒氣多也有寒故痛也風寒濕氣客於肉分之間迫切而為沫沫得寒則聚聚則排分肉肉裂則痛故有寒則痛也其不痛不仁者病久入深榮衛之行濇經絡時疏故不通新校正按甲乙經不通作不痛詳甲乙經此條論不痛與不仁兩事後言不痛是載明不痛之為重也皮膚不營故為不仁不仁者皮頑不知有無也其寒者陽氣少陰氣多與病相益故寒也病本生於風寒濕氣故陰氣益之也其熱者陽氣多陰氣少病氣勝陽遭陰故為痺熱遭遇也言遇於陰氣陰氣不勝故為熱○新校正云按甲乙經遭作乘其多

汗而濡者，此其逢濕甚也。陽氣少，陰氣盛，兩氣相感，故汗出而濡也。中表相應則相感也。帝曰：夫痹之為病，不痛何也？岐伯曰：痹在於骨則重，在於脉則血凝而不流，在於筋則屈不伸，在於肉則不仁，在於皮則寒，故具此五者則不痛也。凡痹之類，逢寒則蟲，逢熱則縱。帝曰：善。蟲謂皮中如蟲行。縱謂縱緩不相就。○新校正云：按甲乙經蟲作急。

○痿論篇第四十四

新校正云：按全元起本在第四卷。

黃帝問曰：五藏使人痿何也？痿謂痿弱無力以運動。岐伯對曰：肺主身之皮毛，心主身之血脉，肝主身之筋膜，新校正云：按全元起本云：膜者，人皮下肉上筋膜也。脾主身之肌肉，腎主身之骨髓，所主不同，痿生亦各歸其所主。故肺熱葉焦，則皮毛虛弱急薄，著則生痿躄也。躄謂攣躄，足不得伸以行也。肺熱則腎受熱氣故爾。心氣熱，則下脉厥而上，上則下脈虛，虛則生脈痿，樞折挈，脛縱而不任地也。心熱盛則火獨光，火獨光則內炎上。腎之脈常下行，今火盛而上炎用事，故腎脈亦隨火炎爍而逆上行也。陰氣厥逆，火復內燔，陰上隔陽，下不守位，心氣通脈，故生脈痿。腎氣主足，故膝腕樞紐如折去而不相提挈，脛筋縱緩而不能任用於地也。

肝氣熱，則膽泄口苦，筋膜乾，筋膜乾則筋急而攣，發為筋痿。膽約肝葉而汁味至苦，故肝熱則膽液滲泄，膽病則口苦，今膽液滲泄，故口苦也。肝主筋膜，故熱則筋膜乾而攣急，發為筋痿也。八十一難經曰：膽在肝短葉間下。

脾氣熱，則胃乾而渴，肌肉不仁，發為肉痿。脾與胃以膜相連，脾氣熱則胃液滲泄，故乾而渴也。脾主肌肉，今熱薄於內，故肌肉不仁而發為肉痿。

腎氣熱，則腰脊不舉，骨枯而髓減，發為骨痿。腰為腎府，又腎脈上股內貫脊屬腎，故腎氣熱則腰脊不舉也。腎主骨髓，故熱則骨枯而髓減，發則為骨痿也。

帝曰：何以得之？岐伯曰：肺者，藏之長也，為心之蓋也。位高而布葉於胸中，故為藏之長，心之蓋。是有所失亡，所求不得，則發肺鳴，鳴則肺熱葉焦。志若不揚，氣鬱故也。肺藏氣，氣鬱不利，故喘息

有[illegible]而肺熱[illegible]焦也

故曰：五藏因肺熱葉焦，發為痿躄。此之謂也。

肺者所以行營衛治陰陽故引曰五藏因肺熱而發為痿躄也

悲哀太甚則胞絡絕，胞絡絕則陽氣內動，發則心下崩，數溲血也。

悲則心系急肺布葉舉而上焦不通榮衛不散熱氣在中故胞絡絕而陽氣內鼓動發則心下崩數溲血也心下崩謂心包內崩而下血也溲謂溺也○新校正云按楊上善云胞絡者心上胞絡之脈也詳經注中胞字俱當作包全本胞又作肌也

故本病曰：大經空虛，發為肌痺，傳為脈痿。

本病古經論篇名也大經謂大經脈也以心崩溲血故大經空虛脈空則熱內薄衛氣盛榮氣微故發為肌痺也先也肌痺後漸脈痿故曰傳為脈痿

思想無窮，所願不得，意淫於外，入房太甚，宗筋弛縱，發為筋痿，及為白淫。

思想所願為祈欲也施寫勞損故為筋痿及白淫也白淫謂白物淫衍如精之狀男子因溲而下女子陰器中綿綿而下也

故下經曰：筋痿者，生於肝使內也。

下經上古之經名也使內謂勞役陰力費竭精氣也

有漸於濕，以水為事，若有所留，居處相濕，肌肉濡漬，痺而不仁，發為肉

內經六　二十一

痿業惟近濕居處澤下皆水為事也平者久而猶殆感之者尤甚矣肉屬於脾脾氣惡濕濕著於內則衛氣不榮故為肉痿也故下經曰肉痿者得之濕地也陰陽應象大論曰地之濕氣感則害皮肉筋脈此之謂害肉也有所遠行勞倦逢大熱而渴渴則陽氣內伐內伐則熱舍於腎腎者水藏也今水不勝火則骨枯而髓虛故足不任身發為骨痿陽氣內伐謂伐腹中之陰氣也水不勝火以熱舍於腎中也故下經曰骨痿者生於大熱也腎性惡燥熱反居中熱薄骨乾故骨痿無力也帝曰何以別之岐伯曰肺熱者色白而毛敗心熱者色赤而絡脈溢肝熱者色蒼而爪枯脾熱者色黃而肉蠕動腎熱者色黑而齒槁各求藏色以所主養而命之則其應也帝曰如夫子言可矣論言治痿者獨取陽明何也岐伯曰陽明者五藏六府之海陽明胃脈也胃為水谷之海主閏宗筋宗筋主束骨而利機關也宗筋謂陰髦中橫骨上下之豎筋也上絡胸腹下貫髖尻

入經於背腹上頭項故云宗筋主束骨而利機關也腰者身之大關節所以司屈伸故曰機關

衝脈者經脈之海也靈樞經曰衝脈者十二經之海主滲灌谿谷

陽明合於宗筋尋此則横骨上下臍兩傍竪筋正宗筋也衝脈循腹俠臍傍各同身寸之五分而上陽明脈亦俠臍傍各同身寸之一寸五分而上宗筋脈於中故云與陽明合於宗筋也以爲十二經海故主滲灌谿谷也肉之大會爲谷小會爲谿○新校正云詳宗筋脈於中一作宗筋縱於中

陰陽總宗筋之會會於氣街而陽明爲之長皆屬於帶脈而絡於督脈宗筋聚會會於橫骨之中從上而下故云陰陽總宗筋之會也宗筋俠臍下合於橫骨陽明輔其外衝脈居其中故云會於氣街而陽明爲之長也氣街則陰毛兩傍脈動處也帶脈者起於季脇回身一周而絡於督脈也督脈者起於關元上下循腹故云皆屬於帶脈而絡於督脈也督脈任脈衝脈三脈者同起而異行故經文或參是而引之

故陽明虛則宗筋縱帶脈不引故足痿不用也陽明之脈從缺盆下乳內廉下俠臍至氣街中其支別者起胃下口循腹裏下至氣街中而合以下髀抵伏兔下入膝臏中下循脛外廉下足跗入中指內間其支別者下膝三寸而別以下入中指外間故陽明

二十二

虛則宗筋縱緩帶脈下引故足痿弱不可用也引謂牽引[illegible]音[illegible]帝曰治之奈何岐伯曰各補其滎而通其俞調其虛實和其逆順筋脈骨肉各以其時受月則病已矣帝曰善時受月謂受氣時月也如肝王甲乙心王丙丁脾王戊己肺王庚辛腎王壬癸皆王氣法也時受月則正謂王氣之月也

○厥論篇第四十五新校正云按全元起本在第五卷

黃帝問曰厥之寒熱者何也厥謂氣逆上也世謬傳為脚氣廣飾方論焉岐伯對曰陽氣衰於下則為寒厥陰氣衰於下則為熱厥陽謂足之三陽脈陰謂足之三陰脈下謂足也帝曰熱厥之為熱也必起於足下者何也陽主外而厥在內故問之岐伯曰陽氣起於足五指之表陰脈者集於足下而聚於足心故陽氣勝則足下熱也大約而言之足太陽脈出於足小指之端外側足少陽脈出於足小指次指之端足陽明脈出於足中指及大指之端並循足陽而上肝脾腎脈集於足下聚於足心陰弱故足下熱也○新校正云按甲乙經陽氣起於足[illegible]

（作走於足起當作走）帝曰寒厥之為寒也必從五指而上於膝者何也（陰主內而厥在外故問之）岐伯曰陰氣起於五指之裏集於膝下而聚於膝上故陰氣勝則從五指至膝上寒其寒也不從外皆從內也（亦大約而言之也足太陰脈起於足大指之端內側足厥陰脈起於大指之端三毛中足少陰脈起於足小指之下斜趨足心並循足陰而上循股陰入腹故云集於膝下而聚於膝之上也）帝曰寒厥何失而然也岐伯曰前陰者宗筋之所聚太陰陽明之所合也（宗筋俠臍下合於陰器故云前陰者宗筋之所聚也太陰者脾脈陽明者胃脈脾胃之脈皆輔近宗筋故云太陰陽明之所合○新校正云按甲乙經前陰者宗筋之所聚作厥陰者衆筋之所聚全元起云前陰者厥陰也與王注義異亦自一義）春夏則陽氣多而陰氣少秋冬則陰氣盛而陽氣衰（此乃天之常道）此人者質壯以秋冬奪於所用下氣上爭不能復精氣溢下邪氣因從之而上也（奪謂形勞遇奪貪精已言多欲而奪其精氣也）氣因於中（新校正云按甲）

乙經氣因於中作所守陽氣衰不能滲營其經絡陽氣日損陰氣

獨在故手足為之寒也帝曰熱厥何如而然也酒其所中令

岐伯曰酒入於胃則絡脈滿而經脈虛脾主為胃行其

津液者也陰氣虛則陽氣入陽氣入則胃不和胃不和

則精氣竭精氣竭則不營其四支也前陰者太陰陽明之所合故胃不和

則精氣竭也精氣不營故四支無氣以營之此人必數醉若飽以入房氣聚

於脾中不得散酒氣與穀氣相薄熱盛於中故熱遍於

身內熱而溺赤也夫酒氣盛而慓悍腎氣日衰陽氣獨

勝故手足為之熱也醉飽入房內精氣中虛熱入由是腎衰陽盛陰虛故熱生於手足也

帝曰厥或令人腹滿或令人暴不知人或至半日遠

至一日乃知人者何也暴猶卒也言卒然冒悶不醒覺也不知人謂悶甚不知識人也

或謂尸厥岐伯曰陰氣盛於上則下虛下虛則腹脹滿陽氣

亂於上則下氣重上而邪氣逆逆則陽氣亂陽氣亂則不知人也陰謂足太陰氣○新校正云按甲乙經陽氣盛於上五字作腹滿二字當從甲乙經之說何以言之別按甲乙經云陽脉下墜陰脉上爭發尸厥焉有陰氣盛於上而又言陽氣盛上又按張仲景云少陰脉不至腎氣微少精血奔氣促迫上入胸膈宗氣反聚血結心下陽氣退下熱歸陰股與陰相動令身不仁此爲尸厥仲景言陽氣退下則是陽氣不得盛於上故凡當從甲乙經也又王注陰謂足太陰亦爲未盡按繆刺論云邪客於手足少陰太陰足陽明之絡此五絡皆會於耳中上絡左角五絡俱竭令人身脉皆動而形無知其狀若尸或曰尸厥焉得尋解其考古書也

帝曰善願聞六經脉之厥狀病能也舉書問解鼓韻請乃皆經厥也

岐伯曰巨陽之厥則腫首頭重足不能行發爲眴仆巨陽太陽也足太陽脉起於目內眥上額交巔上其支別者從巔至耳上角其直行者從巔入絡腦還出別下項循肩髆內俠脊抵腰中入循膂絡腎屬膀胱其支別者從腰中下貫臀入膕中其支別者從髆內左右別下貫胛過髀樞循髀外後廉下合膕中以下貫腨內出外踝之後循京骨至小指之端外側由是厥背外形背遊也瘥氣作遺非

陽明之厥則癲疾欲走呼

腹滿不得臥面赤而熱妄見而妄言足陽明脈起於鼻交頞中下循鼻外入上齒中還出俠口環脣下交承漿卻循頤後下廉出大迎循頰車上耳前過客主人循髮際至額顱其支別者從大迎前下人迎循喉嚨入缺盆下膈屬胃絡脾其直行者從缺盆下乳內廉下俠臍入氣街中其支者起胃下口循腹裏下至氣街中而合以下髀關抵伏兔下入膝臏中下循胻外廉下足跗入中指內間其支別者下膝三寸而別以下入中指外間其支者別跗上入大指間出其端故厥如是上少陽之厥則暴聾頰腫而熱脅痛胻不可以運足少陽脈起於目銳眥上抵頭角下耳後循頸行手少陽之前至肩上交出手少陽之後入缺盆其支者從耳後入耳中出走耳前至目銳眥後其支者別目銳眥下大迎合手少陽抵於䪼下加頰車下頸合缺盆以下胸中貫膈絡肝屬膽循脅裏出氣街繞毛際橫入髀厭中其直者從缺盆下腋循胸過季脅下合髀厭中以下循髀陽出膝外廉下外輔骨之前直下抵絕骨之端下出外踝之前循足跗上入小指次指之端故厥如是太陰之厥則腹滿䐜脹後不利不欲食食則嘔不得臥足太陰脈起於大指之端上膝股內前廉入腹屬脾絡胃上膈俠咽連舌本散舌下其支別者復從胃別上膈注心中故厥如是少陰

之厥則口乾溺赤腹滿心痛足少陰脉上股內後廉貫脊屬腎絡膀胱其直行者從腎上貫肝鬲入肺中循喉嚨俠舌本支別者從肺出絡心注胸中故厥如是其厥陰之厥則少腹腫痛䐜脹涇溲不利好臥屈膝陰縮腫胻內熱足厥陰脉去內踝一寸上踝八寸交出太陰之後上膕內廉循股陰入髦中下環陰器抵少腹俠胃屬肝絡膽上貫鬲故厥如是也胻內熱一本云胻小熱痺有行舊肉本無也盛則瀉之虛則補之不盛不虛以經取之不盛不虛謂邪氣未盛真氣未虛如是則以穴俞經法留呼多少而取之

太陰厥逆胻急攣心痛引腹治主病者足太陰脉起於大指之端循指內側上內踝前廉上腨內循胻骨後上膝股內前廉入腹其支別者復從胃別上鬲注心中故胻急攣心痛引腹也太陰之脉所有左[illegible][illegible]其有過者當發之故言治主病者○新校正云按從太陰厥逆至此全元起本在第九卷王氏移於此少陰厥逆虛滿嘔變下泄清治主病者以其脉從腎上貫肝鬲入肺中循喉嚨俠舌本厥陰厥逆攣腰痛虛滿前閉譫言新校正云按全元起云[illegible]言者[illegible][illegible][illegible]言也[illegible][illegible][illegible]治主病者以其脉循股陰入髦中環陰器腹上

衛氣[illegible]之從[illegible]者本故[illegible]逆○新校正云按甲乙經厥陰之[illegible]本[illegible]本王氏[illegible]刺熱[illegible]刺腰痛[illegible]此三注

俱云[illegible]大[illegible]風[illegible]各不云[illegible]者本主注自[illegible]以甲乙經[illegible]正三陰俱逆不得

前後使人手足寒三日死三陰[illegible]三日死太陽厥逆僵仆嘔

血善衄治主病者以其脈起目內[illegible]又[illegible][illegible]居[illegible]反[illegible]音付少陽厥

逆機關不利機關不利者腰不可以行項不可以顧以其

[illegible]陽[illegible]入[illegible]中故[illegible]是發腸癰不可治驚者死足少陽脈貫鬲絡肝

[illegible]發[illegible]則經氣從挾不可治[illegible]者死也陽明厥逆喘欬身熱善

驚衄嘔血以其脈[illegible]入[illegible]下鬲屬胃絡脾故如是手太陰厥逆虛滿而

欬善嘔沫治主病者手太陰脈起於中焦下絡大腸還循胃口上鬲屬肺故如是手

心主少陰厥逆心痛引喉身熱死不可治手心主脈起於胸中出屬

心包手少陰脈其支別者從心系上挾咽使故亦是手太陽厥逆耳聾泣出項不

可以顧腰不可以俛仰治主病者手太陽脈支別者從缺盆循頸上頰至目

者却入耳中其支別者從頰上頞抵鼻至目內眥故耳聾泣出項不可以顧也腰不可以俛仰脈不相應恐之病荀之手陽明少陽厥逆發喉痺嗌腫痓治主病者手陽明脈支別者從缺盆上頸手少陽脈支別者從膻中上出缺盆上項故如是○新校正云按全元起本痓作經

補註釋文黃帝內經素問卷之六